D05922627

RAMÓN PÉREZ DE AYALA

TIGRE JUAN

SEGUNDA EDICIÓN

ESPASA - CALPE ARGENTINA, S. A.
BUENOS AIRES - MÉXICO

Segunda edición especialmente autorizada por el autor para la

COLECCIÓN AUSTRAL

Primera edición: 20 - V - 1941

Segunda edición: 30 - III - 1944

Queda hecho el depósito que previene la ley Nº 11723

PRINTED IN ARGENTINE

Acabado de imprimir el día 30 de marzo de 1944

Peuser S. A. - Patricios 567 - Buenos Aires

La plaza del mercado, en Pilares, está formada por un ruedo de casucas corcovadas, caducas, seniles. Vencidas ya de la edad, buscan una apoyatura sobre las columnas de los porches. La Plaza es como una tertulia de viejas tullidas que se apuntalan en sus muletas y muletillas, y hacen el corrillo de la maledicencia. En este corrillo de viejas chismosas se vierten todas las murmuraciones y cuentos de la ciudad. La Plaza del Mercado es el archivo histórico de Pilares. La historia íntima de las familias se conoce allí al pormenor; así los sucesos del día, apenas consumados, y aun en vías de gestación, como la suma innúmera de hechos que pertenecen al antaño. Nada hay que se haya olvidado. El caudal histórico, embalsado en este pequeño recinto, es historia viva, narración oral, que va circulando de boca en boca, y de una en otra generación. No hay, en la ciudad, hogar tan arcano cuyas interioridades no sean averiguadas, referidas y glosadas en este corrillo de viejas fisgonas. El secreto, aun el más púdico, de cada hogar se escapa por la cocina en derechura al mercado. Una casuca con dos ventanas, tuerta de una de ellas, que se la cubre, como parche de tafetán, una persiana verde, y la otra chispeante de malicia alegre, a causa de un rayo de sol crepuscular, y con la boca del único balcón torcida en mueca cazurra, parece que acaba de dar alguna nueva noticia sabrosa. Otra de las casas, o de las viejas, a quien la pesadumbre de años y desengaños hace apática frente a las picardías del mundo, se alza de hombros desdeñosamente. Otra vieja, en señal de escándalo, eleva al cielo los brazos esqueléticos y tiznados, que son dos chimeneas. Las demás viejas se encogen sobre sí, y componen raros visajes, riéndose con fruición disimulada. En medio de la Plaza, una fuente pública mana y chichisbea, símbolo de la murmuración inagotable. El agua, que sale pura de una cabeza granítica de dragón, rebosa de la taza y circula, cenagosa, entre guijarros y basuras.

Pues este corrillo, que todo lo sabe, apenas ha conseguido apresar un husmillo, vago e incierto, de la vida y milagros de Tigre Juan.

Todo en redor de la Plaza del Mercado, al fondo de los soportales, hay tiendecillas angostas y profundas; la mayor parte, establecimientos de tejidos catalanes; luego, abacerías, carnicerías, talabarterías, alguna cerería, comercios de paquetería al detalle. Lo más del tiempo, estas tiendecillas permanecen sumergidas en reposo y mudez, huecas, negras, como nichos, vacíos aún, en un muro de cementerio; salvo jueves y domingos, días de mercado, que desde la hora prima de la mañana la Plaza comienza a borbollar con espumosa muchedumbre de puestos del aire, con toldos de lona agarbanzada, al modo de un campamento o una flota de galeones a toda vela.

El puesto de Tigre Juan se distinguía de los demás por varias particularidades. No estaba situado en el hueco central de la Plaza, sino en un ángulo, entre dos columnas cuadradas de granito; mitad bajo los porches, mitad en abertal. Era un puesto permanente: todas las horas del día y todos los días del año. En vez de toldillo de lona, como los demás, poseía a manera de un caparazón, acoplado con tres enormes paraguas de varillas de ballena, regatón de bronce y puño de asta; uno, morado, color del estandarte de Castilla; otros dos, rojo y gualda, los tonos del pabellón nacional. No se sabe si la selección de colores era obra del acaso o alarde de patriotismo. Por fuera de los paraguas se alineaban, con zigzag de baluarte, unos cestos formidables, o maconas, abarrotados con diversidad de leguminosas y granos: garbanzos de Fuentesaúco, lentejas y titos mejicanos, judías del Barco, maíz argentino y de la tierra, guisantes, castañas pilongas, avellanas. Algún barril, además, con sardinas arenques prensadas, que se desplegaban adheridas unas a otras, en hechura de semicírculo, semejantes a un abanico de plata sobredorada, desvaída. Había también unos cajones, convertidos en estantería, con libros usados; y un comodín de muchos cajoncitos, rematado en pupitre, donde campeaban dos plumas verdes de ganso, espetadas en un tintero frailuno de loza azul. Por último, de uno de los paraguas colgaba un cartelón, con este anuncio:

TIGRE JUAN

MEMORIALISTA, AMANUENSE Y SANGRADOR

Escríbense epístolas y misivas para las aldeanas y criadas con novio o deudo en Cuba y Ultramar. Solicitudes y últimas voluntades. Cambios de moneda extranjera. Negócianse letras de cambio. Libros de lance. Testos y novelas de alquiler. Amas de cría a elegir. Las mejores nodrizas. Especialidad en esta industria. Leche garantizada. Médico homeopático. Consulta gratis; melecinas económicas. Tinturas, extractos y atenuaciones del propio cosechero. Consejos sobre el régimen de purgas y sangrías. Cuatro perronas el consejo. Más baratura no cabe. El que no sepa leer pregunte a Tigre Juan lo que dice esta relación.

Tigre Juan, de cintura arriba, iba vestido a lo artesano: camisa sin corbata, almilla de bayeta amarilla, que le asomaba por el chaleco, y éste de tartán a cuadros. De cintura abajo se ataviaba como un labriego de la región: calzones cortos, de estameña; polainas de paño negro, abotonadas hasta la corva; medias de lana cruda y zuecos de haya, teñidos de amatista, con entalladuras ahuesadas. Andaba siempre a pelo. Su pelambre era tupido, lanudo, entrecano, que casi le cubría frente y orejas, como montera pastoril de piel de borrego. Al hablar, que enarcaba o fruncía las cejas con metódico ritmo y rapidez, este recio capacete piloso resbalaba, de una pieza, hacia adelante y hacia atrás, como lubricado, sobre la gran bola del cráneo. También al hablar se le agitaban, en ocasiones, las orejas. En el pescuezo flaco, rugoso, curtido, avellanado y retráctil, tan pronto largo de un palmo como enchufado entre las clavículas (al encogerse de hombros suprimía el cuello), estaba espetada, afirmada, la testa, con rara energía, mostrando, en una manera de altivez, en rostro cuadrado, obtuso, mogólico, con mejillas de juanete, ojos de gato montés, y un mostacho, lustroso y compacto, como de ébano, que pendía buen trecho por entrambas extremidades. Su piel, así por la entonación como por la turgencia (piel jalde, tirante, bruñida), parecía de cobre pulimentado. Cuando una emoción fuerte o el humor de la cólera, que tal vez le domeñaba, se le subían a la cabeza, la dura cara de cobre se ponía broncínea, verde cardenillo, como si, de súbito, se oxidase con la acidez de los sentimientos. La faz, bárbara e ingenua, de Tigre Juan guardaba cierta semejanza con la de Atila. Esta similitud la había descubierto Colás, un sobrino que criaba consigo y a quien pagaba los estudios, para hacer de él un caballero. Cursando Colás la Historia Universal en el bachillerato, le enseñó a su tío una estampa, del libro de texto, que representaba a Atila, con un gran casco militar, guarnecido de dos tremendos cuernos de carabao o cosa así, a un lado y otro de la visera; y le dijo, con muchachil candor:

—He aquí tu retrato.

Tigre Juan verdeció, a tiempo que murmuraba:

—Menos esas enormidades en las sienes, rapaz—. Reprimida la sorpresa, como siempre estaba ganoso de instruirse, preguntó al sobrino:
—¿Quién fué este gentil guerrero?

—¡Arrea! Batallador más que el Cid de Vivar. De las sus victorias campales perdióse la cuenta. Hombre espantable. Bebía el vino en una calavera, que no en cuenco ni en taza. ¡Las turcas que agarraría!... Comía la carne en crudo, luego que la ablandaba metiéndola al cabalgar debajo de la silla del caballo. Por cierto que donde el corcel de Atila asentaba la uña no volvía a nacer hierba. Por jactancia, decíase «azote de Dios», y este título conserva en la Historia.

Mucho lisonjeaba a Tigre Juan la semejanza, siquiera externa, con aquel salvaje caudillo. Luego de haber escuchado, con celado contentamiento, a su sobrino, replicó, campanudo:

—Por lo que me refieres, el amigo Atila era un galán de pelo en pecho, las bragas bien atacadas, como Cristo nos enseña y a mí me place.

—Eso de las bragas no lo sabré decir yo; el texto no las menciona.

—Es omisión; pero se supone. No estoy del todo acorde con el morrión y la cornamenta que se encasquetaba. Estrafalario antojo. Imagino que no era casado. Tampoco apruebo blasonar de azote de Dios. ¡Cuidadito, rapaz, cuidadito! Dios dejóse azotar una sola vez, de los judíos, en Jerusalén. ¿Ejemplo de mansedumbre? ¡Pataratas! Para escarmiento de incrédulos y sacrílegos. Y si no, ven acá. ¿Qué pasó después? De Jerusalén no quedó piedra sobre piedra, y el cochino pueblo de perros circuncisos fué aventado y disperso como arena estéril.

Era Tigre Juan un hombre alto y sobremanera enjuto. Siempre se le veía en su puesto del aire. Apenas dormía. Levantábase con el alba y salía al campo a recoger hierbas de virtud medicinal. De vuelta a las siete de la mañana, erguía en la Plaza su tinglado y no se retiraba de allí hasta las siete de la tarde, que se encerraba en su casa a elaborar menjurjes y pildorillas. Al posar en la vecina iglesia de San Isidoro el Ángelus meridiano, una criada viejísima, tuerta y con jeta de bruja, *la Güeya* de apodo, le traía al puesto un humeante pote de barro vidriado, que Tigre Juan colocaba entre las rodillas y de él comía despaciosamente, con cuchara de boj. A las nueve de la noche solía tomar, en pie, un refrigerio frugal, y en concluyendo, luego que el sobrino le leía por encima un diario de Madrid, iba a jugar naipes, no más de dos horas, a la tienda de una señora conocida.

Como Tigre Juan era epítome de habilidades y centón de conocimientos, acudían a su puesto gentes las más heterogéneas e inesperadas: estudiantes, a empeñar libros a principio de curso y a comprarlos en vísperas de examen; señoras grávidas en busca de nodriza; criadas de servir, a que les escribiese un mensaje para el cortejo ausente; solteronas en vinagre, que no se ahitaban de leer folletines; sacerdotes obesos y reumáticos, por probar eso de la homeopatía; cobradores de banco, a recoger las letras ultramarinas que Tigre Juan había negociado; labriegos solapados, en consulta de toda laya, así en lo tocante a la salud como a litigios y pleitos que sin cesar entre sí traían, y, finalmente, la parroquia de su negocio de granos. Teníasele en reputación de rico y avaricioso, si bien se le alababa el rasgo liberal de dar carrera a un sobrino pobre. La claridad y honradez de su vida desde que años atrás, lo menos veinte, había plantado su tenderete en la Plaza, eran proverbiales. Con todo, inspiraba a los convecinos invencible y no oculto recelo, quizás a causa de sus orígenes misteriosos, tal vez por su traza hosca y su carácter insociable, que le habían valido el *alias* de Tigre Juan. Su verdadera filiación era Juan Guerra Madrigal, pareja nada compatible de apellidos que, como perro y gato, sorprende ver juntos y concordes. No obstante el apodo, algunos amigos, de los muy contados y no menos leales que tenía, propalaban a todos los vientos que, en el fondo, era un bragazas. Es lo cierto que, inopinadamente, le acometían arrechuchos de frenesí, los cuales, con el discurrir de los años, iban espaciándose y amenguaban de intensidad. Aunque no se le conocía sino por el mote, no era raro que al dirigirse a él le llamasen don Juan, por urbanidad y deferencia a su edad, ya madura. Pero jamás se supo de este don Juan trapicheo alguno, ni siquiera se le sorprendió mirando a una mujer con ansia o insinuación. Sin embargo, a pesar de sus cuarenta y cinco años y de su temerosa y huraña catadura, o quizás por esto mismo, despertaba en no pocas mujeres una especie de curiosidad invencible, mezcla de simpatía y atracción; que es propio de la naturaleza femenina inclinarse hacia lo fuera de lo común y perecerse por lo temible o misterioso.

Con el tiempo, Tigre Juan fué acostumbrándose al remoquete y lo aceptó como apelativo apropiado. Es de presumir que le envanecía verse comparado nada menos que con un tigre, síntoma probable de no estar muy seguro de su fiereza.

Aparte de la traza visible, el mote de Tigre Juan se apoyaba en fundamentos varios: unos, nebulosos, deleznables; otros, bastante sólidos. A los primeros pertenecían los rumores, o mejor, leyenda, que corría como válida, acerca de la prehistoria de Tigre Juan, antes de su advenimiento a la Plaza del Mercado. Decíase que era viudo y había asesinado a su primera mujer; quiénes aseguraban que simplemente por hartazgo de matrimonio; otros, que como sanción de una ofensa de honor conyugal. Añadíase que este asesinato, o lo que fuese, había acontecido sirviendo Tigre Juan al rey, en las islas Filipinas. Pero la causa ocasional del apodo residía en sus periódicos arrechuchos de cólera, así como en el carácter sostenido y modo de conducirse de Tigre Juan. Era taciturno y ponderoso. Estando a solas en su puesto se le veía quieto y amodorrado, con soñolienta pereza de caimán. Desperezábase y bostezaba despaciosamente, tediosamente, ruidosamente, como un gran felino o un canónigo obeso. Ya por su aspecto un tanto estrambótico, ya por su larga dejadez y ensimismamiento, ya por la tentación a que induce el peligro dudoso, ello es que mocetes y chiquillos, a pesar del renombre medroso de Tigre Juan, hallaban solaz en hostigarle con cuchufletas y gritos, a distancia. Tigre Juan, entornados los párpados, tardaba en darse por enterado. Los mofadores, envalentonados, iban aproximándose. Hasta que, agotada la paciencia, saltaba, en una especie de paroxismo. Cuando sus adversarios eran jovenzuelos talludos, los perseguía un trecho, con una cuerda de cáñamo, enderezando los zurriagazos a las posaderas, y a quien alcanzaba por delante le imprimía de recuerdo verdugones para una semana. Al ahuyentar a la chiquillería empleaba otra táctica. Les arrojaba, como si los apedrease, castañas pilongas, avellanas, nueces o garbanzos tostados, de los que él despachaba. Más que ataque parecía rebatiña. Los niños rodaban por el suelo, disputándose los proyectiles. Tigre Juan caía entonces sobre el grupo, se apoderaba de un niño o dos, los más guapotes y gordinflones, los traía al puesto y los guardaba prisioneros, mirándolos ardientemente, de hito en hito. Los niños temblaban, como en cautividad de un ogro, lo cual no les impedía roer silenciosamente garbanzos y castañas, la mirada de reojo.

—Míos sois, granujas — rezongaba Tigre Juan, con voz cavernosa —. Comed, comed ahora, eso sí. Bastante tiene el preso con perder su libertad, y no que de añadidura se le mate de hambre. Cebaros he bien, con nueces y castañas, como pavo de Navidad. Y al cabo, tiernos ya y espumosos, que el cebo os rebase el papo, mmm... os engullo; así, mmm...

Y Tigre Juan se abrazaba violentamente con uno de los niños; lo aproximaba a su boca y mejillas; restregaba su hirsuto cuero contra el tierno rostro; fingía dar grandes dentelladas a la criatura. Los niños se desataban en llanto. Tigre Juan, aquejado de ciega nostalgia de paternidad, adoraba a los niños. Todo aquello pretendía que fuesen chanzas graciosas y evidentes. Se esforzaba en susurrar palabras mimosas y dulcificar el acento; pero no le salían sino expresiones torvas y un rugido bronco, con lo cual concluía enrabiscándose de veras consigo mismo, y al parecer, a su pesar, con los chicuelos:

—¡Qué ricos sois, qué sabrosos! ¡Cómo me gustáis! ¡Os hincaré el diente! Mmm... Sabéis a leche recién ordeñada. Oléis como las matas del monte. Babiecas, ¿por qué berreáis? Acabáronse las lágrimas, que no las sufro. Ea, largo de aquí.

Los niños, pasado el susto, volvían al siguiente día, solicitados por el incentivo del riesgo y de las castañas pilongas.

Tigre Juan tenía muy pocos y muy buenos amigos. Uno de éstos era Nachín de Nacha, el de las monteras, viejo ladino y muy terne. Venía a la Plaza desde el Campillín, aldea en los aledaños de Pilares, jueves y domingos, días de mercado. Rasando con el puesto de Tigre Juan instalaba su armatoste de madera, semejante al caballete de un tejado, cubierto de clavos en ambas vertientes, de donde pendían las monteras aldeanas, de paño y velludo negros. Nachín de Nacha solía referir sin fin de hechicerías y supersticiones labriegas. Tigre Juan, después de escucharle suspenso y reconcentrado, las reprobaba, como alucinaciones de gente pagana e ignorante, si bien le quedaba dentro cierto reconcomio y desazón de lo sobrenatural. También contaba Nachín rusticidades, befas y picardías, reales o fingidas, las cuales Tigre Juan celebraba con risotadas de timbre metálico; y nunca sino entonces se le oía reír. A no ser que el protagonista del chascarrillo fuese un marido cornudo; y en este caso a Tigre Juan se le encapotaba el ceño y le temblaba la barbilla. Platicaban otras veces de política. Cuando la Gloriosa, Juan y Nachín habíanse hallado par a par arrastrando por las calles de Pilares el busto tetierguido y pecaminoso de doña Isabel II. Nachín de Nacha perseveraba todavía en sus pujos revolucionarios. Tigre Juan, con la experiencia de los años, castigado por la vida y gracias a la meditación, según declaraba él, había ido formando, para su uso particular, un sistema político, el cual se reducía a una especie de dictadura ejercida sobre la plebe por los hombres más ilustrados y honestos. A este régimen de gobierno lo denominaba él: «generalato de la mollera».

—Con veinte años de vieyura ([1]) más que tú sobre los llombos ([2]), manténgome en mi parecer

([1]) Vejez.
([2]) Lomos.

como de zagal, que deprendí a discurrir a mi talante. Mentira parece cómo cambiaste tú de ideas, Xuan — exclamaba Nachín de Nacha, atusando con socarronería la guarnición de terciopelo de una de las monteras.

Replicaba Tigre Juan:

—Mentira parece que tú, tan despabilao, no arrepares en la almendra de la custión. No tuve ideas endenantes, ni las tienes tú agora. Luego de mucho atender y cavilar, téngolas en conclusión. Lo que tú piensas y aquello que yo pensé, no es otra cosa sino el refuelgo y fantesías. ¿Entiéndesme?

Tigre Juan atemperaba su lenguaje a la inteligencia, estado y estilo del interlocutor. Con las personas educadas, procuraba hablar por lo retórico. Con Nachín de Nacha, el aldeano, empleaba voces y giros del dialecto popular. Proseguía:

—Haga cada uno lo debido, so pena de la vida. La mujer que falta al marido es como soldado que deserta en el frente de batalla. Entrambos juraron; entrambos perjuros. Juicio sumarísimo y cuatro tiros por la espalda.

Tan pronto como Tigre Juan tocaba, de soslayo, cual si le quemase, este asunto del adulterio, que era, por los indicios, su obsesión, cerraba con ahinco los ojos, como por no ver algo frente a sí, para los demás invisible. Luego los abría desmesuradamente, las pupilas desenfocadas, como si la desagradable visión la llevase dentro y huyese de ella. Repetía:

—Haga cada uno lo debido, so pena de la vida. Yo haré lo que me cumple. Si no lo hago, oblíguenme a garrotazos. Ésta es mi Costitución, artículo primero y único: un país, como una familia, gobiérnase con esto, con esto y con esto — y se arreaba un manotazo sobre la frente, una puñada en el biceps del brazo derecho y otra en las costillas, del lado del corazón; con los cuales quería sugerir la inteligencia, el trabajo y el sentimiento del honor, sinónimo para él de bravura.

Era un fanático del deber y del honor, los cuales mencionaba a cada paso, sirviéndose de citas clásicas, en verso. El teatro le entusiasmaba. Pertenecía a una sociedad de aficionados, *La Talía Romántica*, que se congregaba algunos sábados por la noche en el teatro de la Fontana, a ensayar dramas y comedias, y allá de Pascuas a Ramos daba representaciones para las familias y amigos de los socios. Tigre Juan solía incorporar, por propia elección, el personaje de marido calderoniano, que, sólo a causa de una sombra, quizás vana y ligera, de infidelidad, inflige *motu proprio* pena capital a la esposa, como en «A secreto agravio, secreta venganza» y el «Médico de su honra», sus dos obras predilectas. Y había que verle, como poseso de sacrosanta misión, con qué dignidad justiciera remataba los uxoricidios escénicos. Producía congoja casi convulsiva en ciertas señoras del público, de quienes se cuchicheaba deslices e irregularidades. Estas excitables damas, aferrándose al brazo del apacible consorte, le bisbisaban al oído: «La mansedumbre de San José nos valga. ¿Habrá bárbaro? Cierta soy que asesinó a su mujer, si no a varias. ¡Criminal sanguinario! ¡Barba Azul! Gracias sean dadas al Todopoderoso, que me tocó marido cuerdo. ¿Ves a lo que conduce fiarse de apariencias engañosas y lenguas pérfidas o temerarias? ¡Ay, Señor! Cierra, marido, las orejas a la calumnia.»

Nachín de Nacha era el amigo añejo y cotidiano. Tigre Juan sentía afectuosidad hacia él, pero no podía menos de reconocer su condición demasiadamente rústica. Su amigo preferido y venerado, en cuya proximidad Tigre Juan se transportaba a una especie de gozoso embobamiento, era un tal Vespasiano Cebón, trashumante Tenorio de menor cuantía, gran parlanchín, viajante de sedas y pasamanería, que llegaba a Pilares con su muestrario y sus narraciones fantásticas dos o tres veces al año, y cada vez demoraba una quincena.

De los habitantes de la Plaza del Mercado, la persona a quien Tigre Juan más estimaba y respetaba era doña Iluminada, viuda de Góngora. Con el marido de esta señora, muerto algunos años atrás, Tigre Juan había llevado ya buena amiganza. El puesto de Tigre Juan estaba en el porche de la casa donde la viuda tenía su tienda de telas; fronteros tienda y puesto, apartados entre sí cosa de cuatro metros, la anchura del soportal. Desde el puesto se abarcaba el interior de la tienda, reducida y llena de fuliginosidad. Al fondo de la tienda, detrás del mostrador, estaba la viuda, vestida de luto; la cara, blanco de papel; los ojos, con una velatura de tristeza, proyectados hacia el vacío o hacia el ayer. Aun en las horas más altas del día, se escondía allí un manantial de tiniebla, que difluía y colmaba el ámbito del tenducho. Tigre Juan interpretaba este fenómeno como noche voluntaria, ordenada y presidida por la luna del cándido rostro de la dueña, en voto de duelo perpetuo.

«¡Ay, qué mujer!», pensaba Tigre Juan. «Sin cesar adolorida por el difunto. El mucho padecer púsole la color talmente un armiño. Mi madre, la Madre de Dios y ella son las únicas mujeres decentes de que hago cuenta. Aunque viuda, ¡mal año pal pecao!, paréceme, no sé por qué, casta azucena, como si en jamás de los jamases se hubiera casado ni probado varón. Cuando la miro, sin querer, ocúrreseme decir entre mí: Santa Iluminada, virgen y mártir!»

¡Cuán ajeno estaba Tigre Juan de sospechar que aquella su disparatada ocurrencia era la verdad misma, el gran secreto dramático de la viuda de Góngora!... Dos colores contiguos, aun los más discordantes, se modifican mutuamente de modo sutil y etéreo, empapándose cada cual con las vibraciones silenciosas que el otro irradia. Así sucede también con la vecindad constante de las almas; hay un influjo o saturación recíprocos, que se manifiestan como adivinación inconsciente. Cerca de veinte años llevaban doña Iluminada y Tigre Juan contemplándose, sin advertir en ello, a lo largo del día; respirando cada uno la inefable atmósfera espiritual del otro. Tigre Juan se sentía como de cristal frente a los ojos estáticos de doña Iluminada. Estaba seguro que la viuda leía dentro de él todos sus pensamientos, como escritura clara, y que le veía, de bulto y en forma sensible, todos sus sentimientos. Todos, excepto el rescoldo de un recuerdo abrasador, que el propio Tigre Juan guardaba, bajo la ceniza de innumerables días grises, en el escondrijo más oscuro del corazón, esforzándose, sin cejar, en ahogarlo; pues él también ocultaba un secreto dramático. Salvo este arcano entrañable, en lo demás Tigre Juan vivía en la certidumbre de que la viuda, con sólo mirarle, le pasaba de claro y le escudriñaba la interioridad del ánimo. Y sin embargo, él, por su parte, creía a la viuda impenetrable, o quizás huérfana de toda otra idea o emoción como no fuese la nostalgia del esposo desaparecido. Pero, cuando en mientes se le antojaba llamarla «santa Iluminada, virgen y mártir», Tigre Juan estaba adivinando inconscientemente la historia íntima de la viuda, tanto o más que la viuda le pudiera adivinar a él su pensar y su sentir. De casada, la de Góngora había padecido, hora tras hora, la asfixia mortal del sediento que se hallase en un yermo enjuto, con un cántaro a la mano, pero un cántaro vacío. Aceptó su destino con opaca resignación, y poco a poco, por gradaciones insensibles, fué apagándosele la sed. No dejaba de querer al marido, don Bernardino Góngora, que lucía saludable y atrayente gordura, como algunas aves de Bayona, y por gordo era dulce y manso. No eran hombre y mujer, sino dos socios bien avenidos. En el caso de doña Iluminada y don Bernardino, la virginidad de entrambas partes era absoluta, de orden físico. En el orden espiritual, la virginidad de los esposos subsiste siempre, o casi siempre, aun en los matrimonios más fieles y unidos. En el alma del hombre y de la mujer hay una última diferencia irreducible. Hombre y mujer encierran dos universos esencialmente herméticos, incomunicables e ininteligibles entre sí, al modo de dos pedernales, que por muy en tangencia que se hallen no dejan de permanecer aislados. Sólo al choque emiten una chispa; esta chispa es la generación. Don Bernardino consideraba, o fingía considerar, aquel matrimonio nulo como lo natural y corriente en el mundo. Jamás, ni por asomo, intentó a solas con su mujer explicar, y menos justificar, la extrañeza de la situación; antes bien, le repetía a cada triquitraque que el matrimonio mejor constituído debe ser como una sociedad mercantil, establecida con el fin de vivir más cómoda y económicamente, y hacer prosperar una tienda de géneros catalanes al por menor, por aquello de que más ven cuatro ojos que dos. Don Bernardino superaba en veinticinco años corridos a doña Iluminada. Como era cumplido y obsequioso para su mujer, ésta le correspondía con gratitud y piedad. Pero, ya por entonces, doña Iluminada comenzó a interesarse por Tigre Juan, aunque, como mujer honesta y de temperamento tranquilo, cuidaba de resistir a su inclinación. No podía por menos de parangonar y oponer en cotejo a su marido, todo linfa y grosura, con Tigre Juan, todo nervio y tendón. Ante sus ojos contrastaban de continuo, casi palpablemente, la fofura de uno frente a la erección del otro. «¿Qué sucedería — se preguntaba doña Iluminada, en algún lapso de desvarío pecaminoso e hipotético — si engañase a Bernardino? Nada. Si Tigre Juan fuese mi marido, y le engañase, me mataría.» Y sollozaba, con añoranza de otra forma de martirio más emocionante que el sórdido suplicio a que estaba condenada.

De viuda fué enamorándose más y más de Tigre Juan; amor de fantasía y sin esperanza, pero amor absoluto, que le causaba, en los paladares del alma, un lenitivo de anestesia o embriaguez, y en el rostro aquella expresión hierática de éxtasis. Su amor desesperanzado era potencialmente heroico; hubiera realizado por él toda manera de heroicidad, concluyendo en el sacrificio, que es la heroicidad mayor.

Conceptuaba a Tigre Juan dechado y arquetipo de cualidades masculinas. Conocía su aversión a las mujeres, que ella bien veía no ser otra cosa que una confusión de amor ciego y de pavura, a causa de algún desengaño cruelísimo, de seguro; y pronosticaba, para sí, que, por virtud de esta engañosa aversión y en puridad desapoderada angustia de amor, Tigre Juan concluiría casándose, acaso a destiempo y malamente, pero jamás con ella, como no sobreviniese un milagro divino. Esta fe en lo absurdo y providencial era la única vislumbre de amanecer en la noche perpetua de la viuda de Góngora.

Doña Iluminada frisaba apenas en los cuarenta. Producía mezclada impresión de juventud y de marchitez. Según los días, según las horas, según su estado sentimental, así avejentaba como rejuvenecía algunos años. Su cándido rostro tenía, como el de la luna, crecientes y menguantes, plenitudes y ausencias; tan pronto emanaba un a modo de resplandor de plata como se hundía y borraba en el seno de sombra.

Colás, que era muy despejado y observador, definía, para su tío, a doña Iluminada, así:

—Es una señora joven y a la vez es una cosa vieja. Pensando en el cuento de la Bella Durmiente del Bosque, discurro a este tenor. La Bella Durmiente, luego de dormir cien años, era, al despertar, una hermosa doncella de quince abriles, como al caer dormida. Pero no podía por menos ser una cosa vieja de ciento quince años; algo deslustrada de fuera, con cierto olor a moho. El alma y los órganos del cuerpo serían niños todavía, si se quiere; pero, a mí no me digan, el barniz de la piel, por fuerza estaría ajado, después de tanto tiempo. El uso es el que destruye las cosas, y el desuso las mantiene en su ser. Bueno. Mas no por desusadas dejan las cosas de hacerse antiguas. Doña Iluminada se me antoja que está sonámbula, o en sueño cataléptico, no sé desde cuándo. A veces sale del trance con ojos pasmados. Es joven y es vieja, a ratos. Pero, al fin mujer, su corazón no puede permanecer ocioso indefinidamente.

Estos comentarios, un tanto retorcidos, los inventaba Colás, hombre ya de dieciocho años, estudiando el cuarto de Leyes. Era a la sazón un mozo espigado, cenceño; brazos largos, de gorila; las coyunturas de los huesos, en rodillas, codos, muñecas y nudillos, saledizas, nudosas; desmadejado de miembros; los movimientos, habitualmente tardos, y de pronto, vivaces, nerviosos, como sacudidas galvánicas. Dejábase unas barbas primerizas y deslavazadas, color estopa. Los ojos, pequeños y azules: dos flores de lino. Boca indecisa, de contemplativo. En la callada reclusión de su cráneo andaban sin cesar a la escaramuza ideas punzantes, arbitrarias y dispares, como los floretes en un asalto. Su imaginación era sobremanera plástica y corpórea, panorámica y arriscada, como un paisaje montaraz por cuyos riscos brincaban diseminados sus antojos y fantasías, como rebaño de cabras silvestres. Era propenso al entusiasmo y asimismo al tedio. Ahora se enardecía; luego se descorazonaba. Tomaba decisiones irreflexivas y le entraban arrepentimientos súbitos. Poseía raras aptitudes musicales y gimnásticas. Tocaba la ocarina, el acordeón y otros instrumentos insólitos, que él mismo aderezaba con vasos, con tarugos, con cencerros. Silbaba a dos voces.

Percutiendo las uñas sobre los dientes, ejecutaba unas melodías afónicas, de xilofono que se oyese pared por medio. Daba volteretas en el aire: andaba sobre las manos con tanto desembarazo como en dos pies; se contorsionaba, hasta remedar una rana, y avanzaba así a saltos. Tigre Juan se deleitaba con todas estas gracias. Colás era su amor, su delicia.

—Hijo mío — decía Tigre Juan, queriendo insinuar una sonrisa plácida, que se malograba, como de costumbre, en un visaje adusto —, juraría que tu padre o tu abuelo han sido titiriteros vagamundos...

En acabando de hablar, Tigre Juan comprendía, demasiado tarde, que había suscitado una cuestión peligrosa. Colás preguntaba:

—¿Trató usté a mi padre? ¿Le conoció usté?

Tigre Juan, la cabeza gacha y la epidermis verdegueante, murmuraba:

—No.

—Pero sabrá usté quién fué mi padre.

Tigre Juan, por excusar una respuesta precisa, solía introducir una castaña pilonga en la boca, como que la rumiaba. Contestaba tartajeando, a medias palabras:

—Claro... Pues no falta más... Bien... Lo principal es que para todos los efectos, de cariño y de *cónquibus*, o séase, los cuartos, yo soy, digo, afánome en ser tu padre solícito. Serás un caballero. ¿No estás contento?

—Sí que lo estoy, y agradecido, ¡vive Dios! Tiene usté razón. Lo pasado, pasado, y allá penas. No me importa de dónde vengo. Y digo más: tampoco me importa a dónde voy. Esto es lo que me place, vivir flotando, de aquí acullá. Ya ve usté:

no sé si mi padre fué titiritero; pues a mí me gustaría serlo. Rodar por los caminos. Cada día nuevos semblantes: en el cielo, en la tierra, en los hombres. Extranjero para todos; todos extranjeros para mí. Divertir al paso a los viejos y a los niños, con música, saltos y juegos de manos...

—Calla, calla, rapaz. Que no te siga oyendo. Concluirás por revolverme la cólera y enfadarme de veras. ¡Hase visto chifladura! Volar a todos los vientos, como fleco de vilano... Quédese para los mendigos y desheredados. El hombre cabal, como árbol de provecho, ha de echar raíces en el suelo, cuanto más recias, mejor, y dar flor, fruto y sombra...

Vivía Tigre Juan sosegado porque Colás no andaba en galanteos ni persecuciones de mocitas, conforme sería propio en su edad. Aunque, pensándolo mejor, hubiera preferido que le gustasen todas, señal de no estar encaprichado por una sola. Si acaso Colás experimentaba ya las iniciales y absorbentes emociones del amor único, el señorío de sí, para el disimulo, era indicio de que no perdía la cabeza. Al menos Tigre Juan no se había percatado de ningún síntoma alarmante, salvo que a menudo le veía aislarse en una envoltura de melancolía densa, como debajo de una capa parda; pero éste era chaque connatural en él, ya en las épocas de su niñez y pubertad.

—Es que he nacido con la psicología del insatisfecho; no es floja desgracia — explicaba Colás a su tío, sin que éste acertase a comprenderle del todo.

Colás parecía rehuir la cercanía de las mujeres. En cambio, cuando hablaba de la mujer, en abstracto, se extasiaba y profería expresiones de caballeresca veneración. Tigre Juan (en quien, tocante a las mujeres, andaban mezclados algunos borbotones de la sangre de Otelo con algunos retoños del pensamiento del misógino Eurípides) se había propuesto corregirle de este vicio sentimental, que, a su juicio, conducía a los más desdichados extravíos, desolaciones, ruinas y fieros males. Tratando este tema, Tigre Juan reproducía la elocuencia (y aun grandilocuencia) desabrida y frenética de los profetas bíblicos.

—La mujer — exclamaba — es lo más vil de la creación. Falsa costilla de la humanidad, la arrancó Dios del cuerpo noble del hombre, para, de este modimanera, enseñarle que la debe mantener siempre apartada de sí, como todo lo que es de condición flaca y engañosa, cuyo es símbolo y encarnación la mujer. El género humano acércase hasta Dios por el hombre; abájase hasta la serpiente, que es el diablo, por la mujer. Penetrarás esta diferencia si lees atento la Santa Biblia, dictada por el Eterno; y no hay tu tía. El Paraíso no se perdió antaño sólo por Eva. Piérdese cada minuto del día y de la noche por la mujer. Sin ella, este valle de lágrimas tornaríase nuevo Paraíso. Escucha la experiencia, Colasín, hijo mío. Huye de la mujer como de Bercebú. ¡Jesús, Jesús! Arreniego. Culiebras venenosas todas ellas. ¡Lagarto! ¿Qué mujer hay de fiar? Como la culiebra muda de camisa, así mudan ellas de intención, y de cara, y de hombre. Ninguna se mueve sino de bajo apetito, por la codicia del ochavo y por celo, entre sí, de ver cuál luce más ínfulas y majencia. ¿Conocerélas yo, hijo? ¡Harto estoy de contarte lo de Traspeñas! Otra vez a contártelo voy. De allí bajan cuantas nodrizas yo aquí, en Pilares, acomodo; todas solteras, que es para los amos lo más descansado en este oficio, y maestras en el arte de la crianza, por el mucho ejercicio que de él tienen hecho. Traspeñas es monte bravo, apartado del trato de gente urbana, donde Cristo dió las tres voces; lugar de ganadería caballar y vacuna, que por aquellos vericuetos pacen y triscan libremente, hasta que las reses, así de pezuña como de uña, están en edad de rendir provecho. Pues así como en aquel apartamiento montaraz hay parada, para las yeguas, semental, para las vacas, y garañón, para las pollinas, así también hay de lo uno y de lo otro para las mozas del contorno, las cuales son talmente, sin denigrar, burras de leche. Viven pastores y zagalas amontonados, entreverados, sin rey ni roque, como gentiles. Pierden las mozas la honestidad, no por enamoriscadas e inocentes, sino por industria y de propósito, para luego bajar a la ciudad y hacer granjería de la crianza del hijo ajeno, en casa rica, poniendo la ubre a rédito. Y en concluyendo de amamantar un señoritín, suben de prisa al risco y hácense de nuevo embarazadas con el primero que topan. El dinero que ganan van guardándolo a buen recaudo. El matrimonio legal aborrecen. Los hijos que paren abandónanlos en breñas y brañas, a que los socorra una cabra, con más dulces entrañas que ellas; o bien los tiran y hunden en el negro buraco del torno del Hospicio, como el navegante que arroja al agua lastre inútil por prosperar más aína. Creeráslo o no lo creerás, hijo; pero así es, de pe a pa, sin quitar ni poner. Lo que te cuento yo lo vide allí mismo con estos ojos; no es que me lo hayan contado. A diario lo veo, además, como tú lo puedes ver. Bástete con preguntar a la primera moza que llegue de Traspeñas solicitándome colocación, pues soy, como sabes, su agente exclusivo, y ella te responderá paladinamente, sin rubor ni repulgos, como si te recitase un romance de caballerías, en lo cual, cosa que me pasma, son muy diestras. Y más te digo. Las mujeres todas, en Pilares, en Roma, en Pequín, en Nínive y en Babilonia, son de la propia levadura y voluntad que las mozas de Traspeñas, sólo que el freno del bien parecer y el temor del látigo de la afrenta, ya que no les corrijan las mañas, pues esto, porque Dios lo dispuso así, no está en el poder humano, oblíganlas a ser cautas y a que no hagan de las suyas si no es por lo encubierto y a cencerros tapados. ¡Guárdate, Colás, de ellas, que, de lo contrario, miserias sin fin te auguro!

En la invectiva contra las mujeres y dialéctica antierótica, Tigre Juan era inagotable. Colás, por lo común le oía sin replicar, con gesto respetuoso y de resistencia pasiva, como quien no se convence, pero no se atreve a declararlo.

Colás acostumbraba, después de la cena, leer en voz alta, para su tío, un diario madrileño. En cierta ocasión ocurrió en Madrid un crimen pasional muy sonado. Tigre Juan hizo que su sobrino le leyese la información periodística de punta a cabo, sin omitir palabra. A medida que avanzaba la lectura, tío y sobrino iban excitándose visiblemente, aunque cada cual a impulsos de reacciones contrarias. De tiempo en tiempo, Tigre Juan pronunciaba secas glosas aprobatorias. Colás tragaba un buche de saliva y, después de una pausa, proseguía leyendo.

Por primera vez, entre tío y sobrino se entabló un diálogo de esencia dramática. Los dos personajes, de opuesto temperamento y textura espiritual distinta, al efundir sus ideas en palabras, proyectaban la figura de su alma como un cuerpo su sombra. Eran dos sombras inconciliables, chocantes, cargadas de contrarias acciones, latentes y necesarias, en estado potencial. Aunque la superficie del diálogo fuera pulida y cortés, se agitaba en el fondo de cada cual fuerte animosidad hacia su interlocutor; agresiva desazón que había de perdurar algún tiempo, a modo de turbiedad sentimental.

Se trataba de un joven de buena familia que, en plena calle y a tiros por la espalda, había matado a una antigua novia, en vísperas de casarse con otro. A raíz del crimen, luego de estar detenido y desarmado el asesino, el pueblo, denostándole, intentó arrojarse sobre él y castigarle de obra. Él, por conjurar el riesgo, gritaba con persuasiva convicción: «¡No me ofendáis indefenso! ¡Eso no es caballeroso! ¡Hice lo debido! ¡Era una infiel! ¡Yo no podía vivir sin ella!»

Tigre Juan descargó un puñetazo sobre la mesa, y gritó:

—¡Lo debido!...

Iba a continuar hablando, pero Colás arrugó entre sus manos el periódico, lo despidió lejos, se puso en pie, y rompió a decir, con voz tartamuda de vehemencia:

—*¡Estoy indefenso!*... ¿Y ella? ¿Llevaba, acaso, armadura de acero, o trabuco naranjero bajo el sobaco? *¡Eso no es caballeroso!*... ¿Lo es, por ventura, asesinar por detrás a una mujer? *¡No podía vivir sin ella!*... ¿Por eso la matas? ¡Donoso remedio! Ahora que no vive es, sin duda, cuando vivirás siempre en su compañía... No podías vivir sin ella... Pues haberte matado tú, o haberte alistado para Cuba o Filipinas, a que te matasen allí de una manera honrosa. ¡Cobarde, cobarde, cobarde! A todos los asesinos de mujeres agarrotaba yo en el acto. Apuesto que con no más de media docena de lenguas fuera del gañote se acababa para *in æternum* esta ralea de españoles pundonorosos y valientes.

—¡Calla, Colás, calla! Por Dios te lo suplico. Tú sí que me estás matando — sollozó Tigre Juan, ahogándose; la piel lívida, color de ceniza.

Colás acudió a su tío:

—¿Qué le sucede? ¿Se siente mal?

—Nada, hijo. No es nada — murmuró Tigre Juan, recobrándose —. Siéntate. Hablemos serenamente. No tienes razón.

—¿Que no tengo razón? Pero ¿aprueba usted el crimen de ese miserable?

—Lo apruebo. Lo aprobará la sociedad. La sociedad obedece a razones más poderosas que la débil y obcecada razón de un hombre particular, como es la tuya. La sociedad se compone de hombres. De hombres, ¡fíjate bien!, puesto que de mujeres solas no podría haber sociedad, ni civilización, ni progreso. Las mujeres son un estorbo en la sociedad. Peor todavía: son la perdición de la sociedad, siendo, como son, la perdición de los hombres. ¿Cómo podría valerse la sociedad contra ese peligro constante, si no es conteniéndolo por el escarmiento, de vez en cuando? ¿Te figuras lo que sería la sociedad, de no sacrificar tal cual vez una de esas bestias malinas, para las cuales no hay doma posible?; digo las mujeres. ¡Ay, hijo!

Entonces, todas ellas serían prostitutas sin visera y ningún hombre se atrevería a caminar con la cabeza levantada, como aseguran que así reina la disposición de las costumbres en algunos países corrutos de fuera; y no poco sé yo de eso. Por lo cual, la sociedad, en justicia, absolverá a ese joven. Ya lo verás.

—Una sociedad de hombres cobardes y mal educados.

—Pues ¿peco yo de blando o estoy mal educado? La educación, poca o mucha, que tengo, de nadie la recibí, sino que, cavilando honradamente, yo mismo me la fuí haciendo. Préciome de que es buena, razonable y útil, para mí y para el prójimo.

—Así lo entiendo yo también, y no es lisonja. Usté, tío, hace excepción, y no hay tacha que ponerle.

—No tanto, rapaz; no tanto. Póngome yo muchas. Y ¿quién, como yo, está al tanto de mis fealdades e imperfecciones aquí dentro, muy adentro? Ni la propia doña Iluminada, con sus ojos de lechuza adivinadora, que todo lo traspasan, me ve tal cual soy. Tigre, sí, tigre; bien lo proclama el vulgo, que no yerra. Aunque oprimido y a medias domesticado, tigre soy y seré hasta que muera. No hagas concepto demasiado alto de mí.

Colás sonrió amablemente de esta jactancia, que nunca conseguía tomar en serio, a pesar de la temible fama del tío y de sus arrechuchos de cólera destructora, que presenció tales veces, aunque todavía no había sido él la víctima. Replicó:

—No hablaba de usté; antes de los otros hombres con quienes dondequiera tropiezo. En mi sentir, están mal educados, no tanto en las maneras como en los principios que profesan acerca de lo que debe ser la verdadera hombredad. Para ellos, el hombre más hombre es Don Juan.

—Claro, claro, claro.

—Entonces, yo no soy hombre. Y, si no se me enoja, añadiré que usté tampoco lo es, pues nunca le he visto encalabrinado detrás de unas faldas, ni tengo noticia de que haya burlado mujeres.

—En ese respective, razón tienes, y bien que me pesa.

—Si le pesase sinceramente, no sería como es.

—Más prevalece en mí la mala voluntad contra ellas que la buena voluntad de burlarlas para castigo y equitativa venganza de sus burlerías. Siempre seremos los hombres los burlados, y de aquí, como lo sabemos, nuestro encogimiento y temblor al llegarnos cerca de ellas. Sólo Don Juan es bastante bizarro para a todas acometer; bastante gallardo, para a todas enamorar; bastante sutil, para burlar a todas.

—Y a la que no se rinde, ¡pum!, un tiro por la espalda; sanción legítima a tamaño desacato. Porque ¿habráse visto crimen más execrable que ese de que una mujer no corresponda al amor, o no se doble al capricho de un hombre? El criminal no es él, no; ella lo ha sido. Él es ejecutor, *motu proprio*, de la justicia eterna.

—Siempre — continuó Tigre Juan, absorbido y arrastrado por la corriente enérgica de su propio discurso, y sin detener la atención en los sarcasmos de Colás, como hombre que va río abajo, arrollado y envuelto en agua poco profunda y estrepitosa, que no advierte las risas con que desde las márgenes celebran su precipitación —, siempre seremos los hombres los burlados, los traicionados, los escarnecidos. Don Juan, por designio divino, es el vengador de todos los demás hombres infelices. Tentado estoy de sostener y pregonar a los cuatro vientos (y si hubiese herejía, en el tribunal de la penitencia me arrepentiré, y sobre picota abjuraré mi error) que don Juan Tenorio es el segundo redentor de los hombres, guardadas las reverendas distancias, pues el primero, Jesucristo, fué Dios tanto cuanto hombre; así como Don Juan no es nada más que hombre; eso sí, hombre entero. Jesucristo nos redimió del pecado original, cometido por Eva, la primera mujer, y por culpa de ella hubo de bajar a la tierra a recibir muerte afrentosa de cruz. Don Juan nos redime de otro pecado sin cesar repetido por todas las posteriores mujeres, así como el de Eva fué el original; y éste es el espantoso pecado de ridículo, que aunque ellas cometen el pecado, el ridículo cae de plano sobre nosotros. Gracias a Don Juan, al cual nunca tributaremos las merecidas alabanzas, el ridículo y la irrisión revuelven sobre la mujer, de donde proceden. Voy más lejos; tengo a Don Juan por hombre que raya en santidad, pues todas sus aventuras más se dijeran trabajos, que lleva a término, antes por caridad, penitencia y deber para con los demás hombres, que por afición. Habrás visto en la función de teatro que sube al cielo en definitiva, rodeado de nubes y ángeles. Conque por algo será. Maravíllame, hijo mío, cómo el Papa, que es hombre infalible, no ha exaltado todavía a Don Juan a los altares; cosa que no sería de chocar si fuese papisa en vez de papa, como ya hubo alguna. ¿Tienes algo que refutarme? — concluyó Tigre Juan, sacudiendo las orejas y con enfático ademán de condescendencia, lleno de confianza en lo inexpugnable de sus razones.

—Si usté me lo permite...

—Ea, ¿pues no...?

—Digo que si no hubiera donjuanes más o menos donjuanes, la mujer no podría burlar al hombre. Quien burla al hombre no es la mujer, sino otro hombre: Don Juan.

—¡Ja, ja, ja! Me haces reír, alma de cántaro. Un Don Juan no nace de madre sino con grandes espacios y de higos a brevas, cuando Dios quiere, porque ya las cosas de tejas abajo andan por extremo confusas, a causa de los enredos de las mujeres. Entonces envía Dios uno de estos redentores. ¿De dónde sacas que la mujer, para engañar a un hombre, necesita un Don Juan que la fascine? No, hijo, no. La mujer engaña por engañar, cuando quiera y con quien quiera. No es que la seduzcan; ella seduce a aquel que se le pone a tiro, y si no lo consigue, éntrale rabia y siéntese humillada. Burlados son siempre los hombres, marido y amante, supuesto que el amante sea uno solo; pues en tanta medida y proporción burla la mujer al marido con el amante, como al amante con el marido. ¿Tienes algo más que decir ahora?

—Digo, y pondría una mano en el fuego, que usté, en lo más oscuro del pecho, o en lo más claro, no cree nada de eso que achaca a las mujeres.

—Respóndeme si tengo o no razón, y déjate de si lo creo o no.

—Con todo miramiento, respondo que no tiene razón.

—Pues persuádeme. He de agradecértelo. No apetezco otra cosa que pensar bien de la gente. Y ya ves, hasta la fecha, la vida me enseñó a ser mal pensado con media humanidad; aquella que se viste por la cabeza.

—No es menester persuasión para echar de ver lo evidente. Como la aguja imantada se endereza hacia la estrella polar, así el hombre fatalmente es atraído por la mujer. Si en su derrotero embiste con algún bajío o escollo, no es culpa de la estrella. Hay que mirar arriba, y abajo también.

—Hijo; has usado palabras singularmente significativas. Si como has dicho, el hombre embiste acaso, hijo, no negarás que es por culpa de la mujer. Y si se estrella, será por su mala estrella; que la mala estrella de un hombre es una mala mujer.

—Chanzas a un lado, con no menor evidencia se echa de ver que entre Don Juan y las mujeres andan trocados los papeles. No es que engañe a las mujeres; ésa es una mixtificación que él mismo urde y propala. Ellas solas se engañan, habiéndole tomado por muy hombre, como corre en la leyenda que el propio Don Juan se ha formado; y luego, de cerca, viene a parar en que eso de la hombredad es una fábula. He leído bastantes libros que cuentan la vida de Don Juan. En ninguno de ellos se dice que haya tenido siquiera un hijo. ¿Me quiere usté decir por qué este gran farsante no pudo fecundar una sola mujer, con todo y haber pasado su tiempo en intentarlo, probando con el más surtido linaje de prójimas, desde la princesa altiva a la que pesca en ruin barca, quienes, con otro hombre cualquiera, sin nada de Don Juan, fueron fecundas?

Tigre Juan se santiguó ante aquellas opiniones inauditas. Titubeó luego, un instante, si había de retirar la palabra al sobrino. Pero optó por seguir oyendo hasta dónde llegaba en su aberración de juicio. Continuó Colás:

—No es que Don Juan se canse en cinco minutos de cada mujer y al punto la abandone. Sale escapado, eso sí, por dos razones; cuándo una, cuándo otra. Primera: que ha fracasado en no pocos casos, y antes de que se le descubra, o anticipándose a que la mujer le desprecie, se larga primero, para curarse en salud; así la mujer queda corrida de sí misma, figurándose no haber sido del agrado de Don Juan, y por no dejar traslucir la íntima vergüenza le guardará el secreto, o acaso contribuya a que cunda tan infundada leyenda, refiriendo de él extraordinarias facultades y proezas amorosas. La segunda razón, y la más corriente, consiste en la desgana o indiferencia efectiva de la carne, junto con la apetencia ilusoria de la fantasía; por donde, a fin de estimular el deseo, necesita el incentivo de lo vario, lo nuevo y lo poco. Ocurre con éste como con todos los apetitos materiales; por ejemplo, el del estómago. Una persona de buen diente se conforma con un solo plato en abundancia, del cual repite tantas veces como el cuerpo se lo pide; así como el verdadero hombre es el que ama seguido, y sin cansarse de ella, a una sola mujer.

—Ese dictamen — interrumpió Tigre Juan — lo suscribo.

—Pero el que exige diversidad de golosinas, y va picando de una en otra, que todas, con algo más que catarlas, le repugnan, y lo poco que come es forzándose, a costa de fastidio y trasudores, ese tal no cabe duda que anda mal de apetito; así como el hombre no muy hombre va de mujer en mujer, con la esperanza, siempre fallida, de que la siguiente será más de su gusto y le mantendrá encendido el deseo. Se me dirá que Don Juan es un peregrino de la belleza; que allí donde descubre una apariencia o vestigio de hermosura se precipita a apoderarse de ellos; y siendo belleza relativa o defectuosa, como todas las de este bajo mundo, se desanima y decepciona. ¡Sofismas y arbitrariedades tudescas! La belleza sólo es belleza pura en cuanto no mueve el deseo de posesión. Un cielo radiante, la montaña, el mar, el canto de las aves, ¿son cosas hermosas? Pues yo no sé de qué manera se puedan poseer. Lejos de nosotros poseerlas, ellas nos poseen y arrebatan. Decimos *¡una hermosa fruta!*, y se nos hace la boca agua, pensando en comérnosla; pero no es que aludamos a la pura belleza, sino al agrado de la sensualidad, pues si en efecto aludiésemos a su belleza no nos la comeríamos, por conservarla en su estado, como no nos comemos una hermosa flor. Cuando Don Juan dice *¡hermosa mujer!*, lo dice como de una fruta; no expresa su admiración por la belleza, sino el apetito, en la imaginación, de dar agrado a su sensualidad, débil o gastada. Si nos enamorásemos de una mujer únicamente por su belleza de cuerpo o bondad de alma, este amor sería un amor puro, un amor platónico. Y así como Don Juan, o sus imitadores y devotos, antes que verse rechazado o no correspondido públicamente de una mujer, a quien dice amar, se considera en el deber de matarla, como chiquillo mal educado, que negándole el disfrute de una cosa la destruye, antes que otro la posea, así el buen amador, el fino amador, nada pide, nada recuesta de la amada, sino que le consienta adorarla y contemplarla en silencio. Y si le respondiese que no quiere verlo ni dejarse ver de él, no pudiendo vivir sin ella, él es el que se mata.

—Bonito papel, como hay Dios. Y, ¿quién es ese amador tan majo? ¿Dónde o cuándo lo hubo?

Colás narró entonces la historia, amores, dolores y trágico acabamiento del joven Werther.

—Por lo que me cuentas — glosó Tigre Juan —, ese barbilindo de Berte era cabalmente un *babayo* [1]; y la tal Carlota, necia y lagarta, como todas.

—Era un hombre.

—Magnífico, rapacín, magnífico. En suma, que Don Juan no era un hombre.

—No, señor.

—Pues ¿qué era, Colás? Resuélveme ese enima.

—Ya lo dije: un niño mal educado, que llega a la edad madura sin hacerse hombre. Eso, en el caso más favorable para él. Ocasiones hay en que el calavera Don Juan de carne y hueso que por caso nos es dado conocer y tratar, más parece un...

—¿Un qué? Dilo.

—No me atrevo.

—Vaya, dilo, y no me tengas así suspenso.

—Un afeminado.

—¡Ja, ja, ja! No esperaba esa salida. Es lo que me quedaba por oír. Vamos, ¿un mariquita?

—Un Periquito entre ellas, que viene a ser lo mismo.

—¿Y a mí que el mariquita, de pies a cabeza, en dentro y de fuera, se me representaba ese cobardote y lloricón de Berte? Y ahora que reparo:

[1] Idiota baboso.

¿quién es el Don Juan de carne y hueso que tú conoces y tratas?

—No hay para qué apuntarle con el dedo.

—¿Cómo que no? Es mi mandado.

—Usté lo sabe como yo. No puede ser sino uno. A usté le he oído, hasta la saciedad, que el tal era Don Juan redivivo.

—¿Vespasiano, quieres insinuar? Muchacho: ¿estás en tu sano juicio? ¿Has perdido toda moderación y cordura? ¿Osado eres en mis barbas? ¿Vespasiano, afeminado? — dijo Tigre Juan, con sacudida voz, el acento todavía indeciso entre la ironía y el enojo.

—A mí, al menos, con aquellos ojos lánguidos, aquellos labios colorados y húmedos, aquellos pantalones ceñidos, aquellos muslos gordos y aquel trasero saledizo, no puedo impedir que me parezca algo amaricado... Tiene anatomía de eunuco — declaró Colás, que no había levantado los ojos, a fin de representarse mejor en la memoria sensitiva la corporeidad ausente del aludido Vespasiano.

—Basta. Hasta aquí llegó Cristo con la cruz, y de aquí ni un paso más — rugió Tigre Juan, entiesándose y martilleando con el puño en la mesa. Después de un silencio dejó caer hasta el esternón la cabeza, e imprimiéndole pausada oscilación de arriba abajo, suspiró:

—Me has dado una puñalada so la tetilla izquierda. No se te oculta que Vespasiano es mi mejor amigo...

—¿Vespasiano el mejor amigo de usté; o usté de él?

—Tanto monta.

—Don Juan no es amigo de nadie — anotó el contumaz sobrino.

—¿Te ensañas en herirme? ¿Me hostigas? — murmuró Tigre Juan, con mirada ingenua e implorante. Y encrespándose de pronto:

—¿Me acosas? Cuidado, rapaz, cuidado...

—Perdón, tío. La herida fué inintencionada, o, por mejor decir, bienintencionada. Deseo la felicidad de usté más que la mía propia. De mis aprensiones no soy señor; ellas me señorean. Y ¿quién no las tiene? Prefiero sacarlas fuera, en presencia de usté, que no, hipócrita, callármelas. ¿Me perdona?

—Pues sí que no... Aprensiones... Bien dijiste. Te curarás, si Dios quiere. Yo he de asistirte, que soy curandero acreditado.

—¡Ay! ¡Ojalá!

El diálogo polémico y sentimental entre tío y sobrino se prolongó tanto aquella noche, que a Tigre Juan se le hizo tarde para ir a jugar naipes, como de costumbre, en la tienda de pasamanería de doña Mariquita Laviada. Se retiró al austero lecho, con presagios en el corazón de que el largo remanso de beatitud en que, pese a ciertas ráfagas de iracundia como nubes de verano, cada vez más raras, vivía estancado durante algunos lustros, andaba próximo a su término, y comenzaba a despuntar en la línea de lo venidero un período de turbulencia y adversidades.

Pocas noches después, concluída la cena, que era la sazón de los paliques familiares, Colás había colocado ante sí una ringla de vasos, todos diferentes de forma, tamaño y grosor, adquiridos por Tigre Juan en almonedas y baratillos. Abstraído y con los ojos borrosos, tocaba el *Vals de las olas*, golpeando con el mango de un tenedor sobre los vasos. Interrumpióse de súbito, y con arranque estupendo, de los suyos, preguntó de tenazón a su tío:

—¿Por qué no se casa usté con doña Iluminada?

Oyendo esto, Tigre Juan quedó paralizado. Tardó bastante en persuadirse que tenía delante a Colás, y que aquellas palabras inconcebibles hubieran salido verdaderamente de sus labios. ¡Qué barbaridad! Tanto valía que le propusieran casarse con Santa Úrsula o con la Osa Mayor. Para Tigre Juan, doña Iluminada estaba casi desprovista de existencia corpórea; era como un fuego fatuo, ingrávido y vagamente luminoso, temblando en la frontera del más allá, sobre la sepultura invisible del marido difunto.

Colás insistió en el proyecto matrimonial.

Tigre Juan no acertaba a articular la voz. Se puso verde. Bufaba. Estiraba y encogía el elástico pescuezo, rugoso y térreo como piel de paquidermo. Estas señales anunciaban la inminencia de una de sus cóleras. Crispó los puños, cerró los ojos, soltó varios tacos y al fin balbució:

—Por deslenguado, he de arrancarte la lengua.

Colás estaba avezado a presenciar flemáticamente las irritaciones de su tío; sobremanera explosivas, pero, por lo regular, momentáneas. Al escucharle ahora aquella chistosa amenaza, y aprovechando que Tigre Juan mantenía los ojos cerrados, se sonrió. Su sonrisa era patética y enigmática.

—Ella le quiere a usté, sin embargo — dijo Colás, naturalmente, como si respondiese qué hora era, o hablase de la cotización en mercado de los granos secos.

—No quiere sino a su marido. Es mujer honrada y no comete adulterio — rugió Tigre Juan, con un hervor en la base del pecho.

—El marido murió hace años.

—Viuda honrada, el hoyo de la cabeza del marido siempre en la almohada.

—Ella le quiere a usté, sin embargo — reiteró Colás, con expresión grave y triste —. De edad son ustedes tal para cual, en buena proporción. Si no mozalbetes, tampoco vejetes. Aun pueden tener familia.

Tigre Juan adelantaba los brazos convulsos como si a tientas intentase tapar la boca a Colás, o apretarle la garganta, que no continuase hablando.

Colás añadió, inalterable:

—Un día; mañana, pasado, eso Dios lo sabe, se queda usté solo. Me muero, o me extravío. Se queda usté solo. ¿Quién, como doña Iluminada, para quererle, acompañarle, cuidarle? En esta casa hace falta una mujer. ¿No la echa usté de menos?

¿Quedarse sin Colás? ¿Colás, muerto o desaparecido? ¿Qué quería dar a entender Colás? Aquí, Tigre Juan abrió los ojos; dos brasas que se apagaron al pronto, como regadas de agua. Abrió la boca; una cavidad lóbrega, habitada por un silencio mortal, lo mismo que entonces lo eran su corazón y su pensamiento. De la lengua se le desprendió, más que una palabra, un espectro de palabra:

—¿Solo?

—¿Quién es dueño de sí? — monologó Colás —. Vamos a donde el destino nos empuja. Inútil resistir. Soy fatalista.

—Yo no, reconcho — dijo Tigre Juan, encontrando su voz y dando una patada en los tablones del tillado, como por mejor asentar en suelo firme. Al apoyarse en lo que era principal soporte de su carácter, el sentido del deber, volvía a ser el mismo hombre de siempre, y a gobernar sus pensamientos —. Según eso, los renuncios, las traiciones, los pecados no lo serían tales. ¿Irresponsables todos los gandules? No. No. No. El culpable sufra la pena. Tu pecado se llama ingratitud.

—Si culpa y pena fuesen como vestidos de quita y pon... De los hombros te cuelgo hábito de penitencia, y desnudo quedas de culpa... ¡Qué estupidez! Si el castigo lavase el pecado, o lo corrigiese siquiera... Ingratitud... Ingratitud... La víctima soy yo, si acaso.

—¿Víctima tú? ¿De quién? ¿No te quiero como a la niña de mis ojos?

—No hablaba de usté. Queja no tengo; sí mucha obligación. De lo que sea amor de hijo a padre, me basta con saber que el hijo más amante no me saca ventaja, sin ser yo hijo de usté.

Y después de una pausa, doblando hacia atrás, en círculo, la conversación, hasta el punto de partida, con el acento a la sordina, como eco de las anteriores palabras, concluyó:

—Reflexione lo que en un principio le he dicho.

Tampoco aquella noche Tigre Juan salió de casa a jugar naipes. No pudo conciliar el sueño. Revolvíase en su camastro humilde, zarandeada la imaginación a merced de un tumulto de pensamientos y emociones chocantes. Con premura y azoramiento se fugaba de una idea desagradable, volviéndole la espalda de la conciencia, e iba a tropezar con otra que igualmente le amedrentaba y repelía. Así en todas las direcciones del horizonte de la mente, como si hubiesen puesto asedio a su espíritu ansiedades y zozobras largo tiempo sumisas, amordazadas y ahora rebeldes de pronto.

«Sin ser yo hijo de usté», había dicho Colás, con palabras pletóricas de sentido. Tigre Juan adoraba en el mozo. Pero cuanto más le amaba, tanto más se le hacía sensible un interior vacío anhelante, no susceptible de colmar; como si este amor se sustentara en vano fundamento, no de otra suerte que un edificio sin base amenaza desplomarse en la medida que más se levanta. Aquella oquedad interior y falta de firmeza en el cimiento de su vida no era sino la necesidad y exigencia tácita de un hijo auténtico, un hijo de su carne. Doña Iluminada, con ademán profético, solía llamar a Colás «el hijo del aire». Hijo del aire... Un día nefasto — Colás acababa de decirlo — el viento reclamaría sus derechos de paternidad; el muchacho se le disiparía para siempre en la lontananza, raptado, como celaje liviano, en brazos del viento. La cordial y turbia hambre de un hijo, y el terror, disfrazado de odio, por la mujer, de natural perverso, como la serpiente, habían desviado a Tigre Juan de la paternidad real hacia la paternidad ilusoria. Un padre no hubiera hecho más que Tigre Juan por Colás; cierto. ¿Por qué lo había hecho? Por cobardía de su soledad; por egoísmo. ¿Le era acaso Colás deudor de gratitud? Todas las especies gratas, aromáticas, sabrosas o picantes, con que Tigre Juan sazonaba y decoraba el parvo manjar cotidiano de su existencia, provenían de Colás; aquel arbusto silvestre, trasplantado a la oscura estrechez de su hogar. ¿No estaba, pues, acrecentadamente pagado de sus solicitudes para con el mozo? Por su parte, Colás, ¿qué le debía a él? Ni siquiera era sobrino suyo, aunque de esto el propio interesado, ni nadie en la vecindad, tenían atisbo, a no ser que doña Iluminada, desde su penumbra sagaz, colindante entre el mundo de la materia y el del espíritu, lo hubiera adivinado quizás. Colás, ¡maravillosa suerte!, había nacido libre como su padre el aire, allá cerca del cielo, en las fragosidades de Traspeñas. Era hijo de un amor instantáneo e irresponsable de naturaleza; no se podía averiguar quién lo había engendrado. Quizás la educación más feliz y apta para él hubiera sido la no educación, la selvática libertad. Y Tigre Juan lo quería guardar secuestrado, como si fuera posible aclimatar un águila en un sotabanco, o incluir el huracán en un odre. El tronco retiene a la rama. Pero Tigre Juan no era el tronco, ni Colás su vástago.

«Aun puede tener familia», le había dicho Colás, poco antes. Sin duda. Mas era menester el concurso femenino. Y, ¿dónde hallar la fuerte mujer bíblica, honrada y segura? Aquejaba con frecuencia a Tigre Juan el anhelo inconfesado de una esposa. Aquella noche, rebulléndose desazonado, hubo de ser sincero consigo mismo: le faltaba, en la piel y en el corazón, ese contacto de mujer que produce el más dulce escalofrío. Apenas, en un momento de abandono de la voluntad y pérdida del dominio de sí, hizo esta confesión íntima, cuando saltó del camastro, cayó de rodillas, y, dándose de puñadas en los ojos, murmuraba roncamente. Creyó ver primero una gran mancha roja, y luego un negror poblado de estrellitas rutilantes: «Aun bramas por la mujer, insensato, como siervo sediento por el manantial. ¿No te hartaste de ignominia con una sola vez para mientras alientes? ¿No eres aún escarmentado ni avisado? Señor de justicia, Señor de misericordia: ciégame. No quiero ver, no quiero ver. Hora es de que ciegue. Tómame en cuenta lo padecido y bien obrado. Por tu gracia benigna acordé que ya no veía; que todo lo tenía olvidado. Y vuelvo a ver... rojo, rojo, todo rojo... Estoy asomado a un río de púrpura transparente. ¿Qué hay allí en el fondo? ¿Es una persona ahogada? Unos ojos abiertos, abiertos, que me miran y me condenan. No quiero ver, no quiero ver. Soy inocente. Señor, tú bien lo sabes. Ciégame. Ciégame. Todo se va ya borrando, ennegreciendo. Beso el suelo, Señor, en acción de gracias y rendimiento. Ya vuelve a ser de noche en mi alma, con lluvia de estrellas. Señor: ciégame antes que tal vea otra vez.» Al acostarse de nuevo, clareaba, a través de una lucerna, la luz del alba. Ahora, Tigre Juan pensó que dentro de un rato volvería a encontrarse bajo la pupila inquisidora y penetrativa de doña Iluminada. Este pensamiento, junto con la memoria reincidente de la conversación casera mantenida la noche anterior con Colás, y su consejo detestable de tomar a la viuda por esposa, le recrudecieron el desasosiego. Doña Iluminada solía leerle detrás de la frente — cavilaba Tigre Juan — tan distintamente como si deletrease en gruesas mayúsculas de cartel de párvulos: *p-a, pa; m-a, ma.* ¿Le daría hoy a doña Iluminada por ponerse a leer en el fuero interno de Tigre Juan los cruentos caracteres y rasguños que en el cerebro le habían impreso durante la noche sus vergonzosas ideas? Sentíase todo turbado. Esta turbación recóndita se le exteriorizó con señales manifiestas cuando, armando su tenderete a las siete de la mañana, hubo de saludar a la viuda. A veces, tenía en sueños una estrafalaria pesadilla: que, sin saber cómo, había salido de casa en paños menores, y en traza tan bochornosa se hallaba a la vista de todos los del mercado. Ahora sentíase como si estuviera peor que en paños menores, *in puris naturalibus*, en cueros, como un recién nacido.

No se calmó al avanzar el día. Estaba atormentado, como en un potro. Ni siquiera le quedó el ánimo dispuesto para atender y reflexionar sobre lo que más le afectaba y más le dolía: el posible abandono de Colás.

A media tarde, unos chicuelos vinieron a darle vaya, desde lejos:

Barba Azul,
Tigre Juan:
mataste a tu mujer,
enterrástela en el desván.

Tigre Juan les disparó pilongas y avellanas con más rabia que de costumbre. Aprisionó a tres chiquillos y los mantuvo cautivos buen rato. De tanto en tanto los estrujaba con arrebato; y los ojos, gatunos, le reverberaban como de vidrio o de fiebre. La de Góngora le llamó:

—Deje ya a esa *reciella* [1] de rapacinos. ¡Cuitados! Ellos ¿qué entienden si usté lo hace por bien? Venga acá. Tenemos que hablar un momentín.

[1] Muchedumbre bulliciosa.

Tigre Juan penetró en el tenducho, con actitud de reo.

—Si esos mocosos fueran hijos de usté, ¿verdad? Resignación y esperanza. El porvenir reserva grandes novedades. Siéntese, haga el favor. Algo raro le pasa hoy, camarada. — Camarada era el epíteto más acariciador con que la viuda obsequiaba a Tigre Juan. Repitió —: ¿qué es ello, camarada? Apuesto que cosas de Colás. ¿Acierto? Hijo del aire. ¿Qué ventolera le ha dado? Él no tiene la culpa. Cuando sopla el cierzo, y sopla porque Dios lo dispone, los árboles inclinan la cabeza para no romperse. Hagamos otro tanto. Vamos a ver. Colás ha tenido un palique enfadoso con usté. Y a lo mejor, o a lo peor, le dijo...

—¿Usté sabe?... — barbotó Tigre Juan, empantanándose en sus aprensiones, como rana asustadiza que se zambulle en una charca cenagosa.

—¿Qué he de saber? Pero como a ese mocito todo le entra con un ardor... y andaba tan atortolado con la rapaza...

—¡Recristo! — exclamó Tigre Juan, estirando el pescuezo, como hombre que emerge del agua y respira fuerte. Por la cara, abrillantándosela, le chorreaban, superpuestos y mezclados, la sorpresa y el alborozo.

—¿Ahora se desayuna usté?

—¡Concho! ¡Recristo! ¿Pues no soy jumento? Al fin percibo. Claro está. Colás quiere casarse. ¿Por qué no me lo dijo llanamente el muy zampatortas?

—Psss... Falta de atrevimiento.

—¿No le conoce usté desde que era no mayor que un gorgojo? Ese galán se atreve con Maceo y con el obispo. Todo estriba en que se le meta en la chola. ¿Casarse? Muy mozo es entodavía. Abomino de las mujeres. Quise persuadirle que, siguiendo mi ejemplo, él abominase también, y así demoraríamos juntos, sin manzana de discordia, el uno para el otro, como padre e hijo, en santa paz y compaña. ¿Qué cosa mejor? Pero, lo que ha de ser, ha de ser. Bien me lo dijo él mismo anoche: «Inútil resistir». En este particular, ¿qué remedio sino ceder, que es mal menor? Muy mozo es entodavía. Llegada la oportunidad, no me opondré. Cásese en buena hora y bendito sea Dios. No por eso habrá de abandonar mi casa, sino que me traerá una hija de más. Y luego, al año de la boda... ¿Explícome? ¡Reconcho! ¿Quién es la moza? ¿Vecina nuestra?

—Paso, don Juan, no se remonte. Tenemos que hablar y usté desvaría. De que Colás anda atosigado de amores, algo y aun algos conozco. ¿Quién no? El amor sigue la condición del humo, que no cabe mantenerlo tapado, y además, que, por dicha, luego se desvanece, aunque no siempre. Usté, con el humo ante las narices, no le ha dado en el olfato una vaharada siquiera.

—Concedo que olfato y narices no son dones míos salientes.

—Para abreviar. Lo del matrimonio no viene al caso. La moza que Colás cortejaba le ha cantado de plano que nones.

—¿Nones?

—Que le ha dado unas calabazas como un templo.

—¿Calabazas?

—Ea, que no le quiere.

—¿Que no le quiere? ¿Que no quiere a mi Colás? ¿Quién es esa princesa del pan pringao? Y aunque ella no quiera, ¿qué monta eso para que se casen, queriendo yo y él?

—¡Ay! Como gonce y cerrojo en un postigo, que no abre sin el uno, ni sin el otro cierra, así el querer de la mujer y el hombre. Amor y matrimonio: si falta el cerrojo, que es la voluntad del varón, es puerta abierta e inútil; puerta falsa sin el gonce, que es la voluntad de la mujer.

—¿Voluntad de mujer? La voluntad debe ser sirvienta de la mollera, o no es voluntad. Malhaya la voluntad necia que topa y embiste por conseguir lo que afalaga el gusto. ¿Y llama usté a eso voluntad? Voluntad de ese ramo cativo tiénenla más recia las animalias que las personas. Moza con voluntad... ¿Por dónde? ¿Hay moza con dos dedos de mollera, ni adarme de sentido? Muéstrenme la primera mujer que de cejas arriba almacene endentro algo de provecho, sino es vanidad y trapacería. Pues que Dios les negó mollera, niégueseles voluntad; y obedezcan. Soy con usté en que el matrimonio debe ser atadizo de amor para el hombre. En la mujer, obedecer es amar.

—¿Y han de obedecer de grado o por fuerza?

—Eso allá ellas; de grado o por fuerza, según les pete, que las hay que se perecen por el vergajo como por la golosina.

—¿Son todas las mujeres de esta traza como usté las pinta, camarada?

—Usté, para mí, no es mujer de la pasta de las otras. No necesito disculparme.

—¡Qué lo he de ser!... No se equivoca. Si usté lo supiera bien... Por santa me tiene, y en eso va equivocado. A la fuerza ahorcan. A lo que estábamos. No hablaba por mí, sino en defensa de las demás mujeres. Hombres y mujeres están amasados del mismo barro frágil. Hay, sin embargo, una diferencia. Fíjese, camarada. Que el hombre no puede ser feliz sin la mujer, en tanto la mujer lo puede ser sin el hombre, aunque a causa del hombre. Porque eso de recrearse en la desgracia y bañarse de lleno, con deleite, en la propia tristeza, es ciencia infusa que el hombre por excepción aprende, y las mujeres nacemos ya aprendidas.

Tigre Juan, aturdido, dejó caer la cabeza, como escondiendo la frente de la mirada de la viuda: «Ha leído dentro de mí, como en manuscrito, lo que anoche pensé: que el hombre apetece siempre mujer. Par a par, como grabada con un punzón en la corteza de un árbol, se manifiesta en el forro de mis sesos la proposición insensata de Colás: cásese con doña Iluminada; ella le quiere. Los cabellos se me erizan, como una ventana que se abre, con que la viuda podrá ver más a fondo. ¿Seguirá leyendo en voz alta? Corrido estoy. Ábrete, tierra. ¿Por qué acudí cuando me llamó?» Por su parte, doña Iluminada dilataba el silencio y la expectativa, porque tenía ante el umbral el destino, y, sobrecogida de incertidumbre, no osaba adelantarse hacia él. Pensaba: «dos mañanas veo que tiran de mi vida. Cada mañana en un platillo de la balanza. Y mi vida en el fiel, temblando, como un niño asustado. Igual peso tiene el uno como el otro. Ninguno de los dos vence ni me inclina. Suya quisiera ser. Huerto cercado y maduro, todo empapado de amor; suspiro por mi dueño. Que tome posesión de mí. Que, al fin, penetre en mi secreto. Abriré las puertas. Parece que cantan mil pájaros en mi corazón: es que hice cautivo a mi dueño. Cerraré tras él las puertas, como brazos en un abrazo, que dure tanto como la vida de entrambos. Que halle en mí el olvido de todo; halago para los sentidos, la paz del alma. ¡Ah, ilusa! Eres vana y codiciosa. Con la dicha cierta en las manos, la arrojas lejos para asir la dicha dudosa. Dices que le quieres por dueño, y maquinas adueñarte de él. Pon que, con arte de mujer, lo consigues. Como paloma inocente, lo has cazado con trampa. Ya es tuyo. Mírale los ojos amilanados, al saberse prisionero. Desde tu huerto de otoño, contemplará, con melancolía y desesperación, otros lozanos huertos primaverales. Y te maldecirá... ¿Y si él, con recelo de darlo a entender, aguarda que yo le franquee la entrada del huerto? A veces alza los ojos hacia mí, como mendigo al fruto en sazón que en la rama más alta asoma sobre la cerca. Siempre me mira de abajo arriba. ¿Me ve como mujer o como fantasma? ¡Oh, Desesperanza, compañera fiel de mis lágrimas; perro que lame las llagas de su amo; tan encariñada estoy contigo que temo sanar, si he de perder tu compañía! ¿Será el instante del milagro? Ahora o nunca. ¡Señor, Señor: empuja con tu dedo el platillo donde yace mi suerte! Adelante, y Dios sea conmigo.»

—No dudará, don Juan, que le quiero, con cariño añejo y de ley — dijo la pálida voz de la viuda pálida —. ¿Me permite que le dé un consejo?

—Mándeme — respondió Tigre Juan — tirarme al pilón de la plaza y allá voy de cabeza. Juro que no deseo otra cosa.

—Algo más agradable. Cásese usté. Aun está a tiempo. La mujer que mejor le cuadra quizás la tiene a mano.

Atardecía fuera. Dentro del tenducho se anticipaba la noche, y en medio, el óvalo nítido, casto, incorpóreo, del rostro de doña Iluminada.

Llegaba el son huidizo de la gran fuente en la Plaza. A Tigre Juan le pareció que el ruido era de su propia sangre, vertiéndosele en una hemorragia total, que le dejaba exánime. Tal impresión le produjeron las palabras de la viuda.

Hubo una pausa, acaso breve en el tiempo y, no obstante, de muy larga trayectoria en profundidad.

La viuda pensó: «Señor: patente se me muestra tu voluntad. Mi suerte está decidida. Esposa mística quisiste que fuese, y no en el claustro, sino en el siglo. Comprendo. Comprendo. Éstas son mis segundas nupcias, más limpias todavía que las primeras, porque en ellas no media nada engañoso, interesado, torpe o sensual, ni siquiera el sonido de la palabra. Esclava suya seré; él, mi dueño. Y no sospechará... No viviré sino para él. Y no sospechará... Espantaré los riesgos que le amenacen. Y no sospechará... Le meteré en casa la dicha. Y no sospechará. De ventura reviento por todos los poros del alma, como panal saturado de miel.»

Del rostro de plata lúcida, que en la sombra albeaba, manó una hebra de plata, aprensión de voz:

—Me río — dijo; pero la risa no se dejaba oír; era una risa taciturna —. Me río de la mueca de susto que usté ha puesto, aunque no la veo. ¿Qué disparate habrá pensado? Creerá que me he vuelto loca. Usté tiene miedo de duendes y aparecidos. Se las echa de bravo, pero a mí no me da el timo. Hay que ponerse en la realidad, camarada. Serénese, que prosigamos hablando en conversación reposada, como buenos amigos.

Tigre Juan daba ya diente con diente, no acertando a descifrar las frases de la de Góngora, que se le figuraban sibilinas, irónicas, amargas, bastante menos diáfanas que su semblante, virginal y anémico, entre las sombras.

Se interpuso en la puerta un bulto pequeñuelo, que habló con sonsonete lacrimoso:

—Señora Iluminada, santina de Dios; de parte de mi madre, que si puede despacharme de fiado, y que la Virgen se lo recompensará.

Doña Iluminada encendió el quinqué, que colgaba a plomo sobre el mostrador. Se vió a la entrada una chiquilla, como de dieciséis años, harapienta, flaca, morenucha, de grandes ojos radiosos.

—Entra acá, Carmina — dijo la señora —. ¿Cómo está tu madre y qué necesitas?

—Tose mucho día y noche, que se le despedaza el pecho. Pero ahora va a mejorar, diz el dotor de la Cooperativa, con un remedio que la recetó, pa tomar, y unos emplastos, pa ponerse detrás y delante, con bayeta encima, y mandóme aquí madre por una tercia de bayeta amarilla de Pradoluengo, que ya le pagará cuando se ponga buena y vuelva al puesto de verduras, que ahora, como no se puede levantar, no gana nada, ni para comer.

Doña Iluminada extrajo de la estantería el rollo de bayeta, de donde midió y cortó un trozo.

—Ahí tienes media vara, por si no es suficiente una tercia. Dile a tu madre que no se apure. Ya me pagará cuando le venga bien. Toma estas dos pesetas. Poco es. No me consienten más mis medios, y menos da una piedra.

Tigre Juan echó mano al bolsillo de la almilla y sacó dos reales, en cobre, pieza a pieza, que iba entregando a Carmina.

—¿No dije que menos da una piedra? — comentó sonriendo la viuda.

—¿Pues la piedra soy yo? — replicó, fosco, Tigre Juan.

—La piedra es su corazón. ¡Qué tacañería!... Alárguese siquiera a cuatro reales.

—Señora, yo tengo más obligaciones que usté, que es sola y se basta a sí misma.

—Por sola, me basto a mí misma... ¡Vamos, que es lince! — murmuró la viuda, con dejo intencionado.

—Y en cuanto a si mi corazón es una piedra — añadió Tigre Juan, recuperándose del pasado desfallecimiento y sin pararse a buscar intención en las anteriores palabras de la viuda —, alégrome que sea así, y no de mantequilla de Soria. Y no se achaque a tacañería. Toma, neña, otra perrona más, para que usté vea. Hágolo de caridad. Según mis principios, caridad es deber, que no compasión y flaqueza. Por deber de caridad he de ir luego a ver a Carmona, la verdulera, y no le cobro visita ni receta. Diránme dimpués quién acude con el alivio y maneja mejor el arte de la medicina, si este curandero o esos señoritingos licenciados.

Salía ya la niña murmurando «Dios se lo pague», impaciente por retornar con la dádiva junto a su madre.

—No te vayas así, Carmina. Acércate, que te dé un beso — dijo la señora.

—Más agradezco esta bondad que la tela y los cuartos — habló la niña.

—¿No le da usté otro beso, de propina, don Juan, el tigre? — interrogó la viuda, con malicia afable.

—Anda con Dios, neña, que no gusto de zalamerías, arrumacos y garatusas — dijo Tigre Juan, plegado el entrecejo y apartando de sí, con la mano velluda, a Carmina. Cuando ésta hubo salido, rezongó, en tono que pretendía ser alardoso —: Nunca acerté a dar un beso.

—Menester es que aprenda, si se ha de casar.

El ácido verde de la emoción, que en las entrañas de Tigre Juan se mezclaba tal vez con el humor negro de la cólera, le comenzó de nuevo a subir a la cabeza. Por dominarse, se hizo el desentendido y salió hablando por otro registro:

—Paréceme que esta Carmona espicha. Está héctica y consumpta. Cuando el bofe se *desfarrapa* (1), no hay hierba ni simple que lo restaure en su ser. Si acaso, sangre de toro, bebida en caliente.

—Y Carmiña quedará huérfana, sin calor ni cobijo. De piedad me estremezco. ¡Hay, señor don Juan! Cuánto mejor hubiera sido para usté adoptar una niña, que son más cariñosas y apegadas a la casa do se criaron.

—Famosa novedad. ¿Más apegadas? Pal diaño. Todas traicioneras y desmandadas. Lárganse un día tras el primer calzón que las ronda, y de ahí adelante, si te vi no me acuerdo.

A todas estas, Tigre Juan no levantaba los ojos del suelo, sin atreverse a mirar de frente a la viuda. Le corría por el cuerpo un hormiguillo o anhelo acucioso de marcharse, pero no acertaba a poner punto final a la charla.

—¿Pasóle ya el susto? — dijo, burlona, la viuda.

(1) Se desmerona.

—¿Qué susto? ¡Pues sí! Bueno soy yo para asustarme — respondió Tigre Juan, verdegueando, quebrado el acento.

—Ya sé que no le asustan hombres ni peligros de fuera. Asústanle, en cambio, sombras fingidas de la imaginación, lo cual es propio de corazones sanos y masculinos. Usté imaginó, poco ha, que yo... Trabajo me cuesta sacarlo fuera de los labios... Vaya; que yo quería casarme con usté. ¿Cómo pude yo hablar de suerte que usté lo tomó a esa parte? ¿Cómo pudo usté imaginarse?... ¡Qué locura! Digo, qué locura la mía. Todo por no saber expresarme a derechas. ¿Había yo de fantasear tal sandez y despropósito, a menos de perder el juicio? Míreme a la cara, don Juan. Alce los ojos y mire, ahora con luz, lo vieja y fea que soy.

Tigre Juan, dócil y tímido, convergió la mirada al rostro de la de Góngora. Su marchitez y juventud, amalgamadas e indistintas, se mostraban en esta ocasión más definidas, más contrapuestas y, al propio tiempo, más envueltas e inseparables, por extraño modo. La claridad oleaginosa caída desde la lámpara le teñía la tez de un color pajizo, como papel de estraza, reseco y socarrado al sol. Debajo de esta a manera de vejez prematura y accidental, trasparecía archivada, señaladamente a través de las pupilas, una mocedad incólume, fogosa, como vino nuevo en corambre antigua. Llevaba un traje de opaco paño negro, como la tela con que revisten los ataúdes, y sobre el seno, muy llano, cruzadas las manos, de un blanco verdoso, como la albura de un árbol recién descortezado.

—Así Dios me salve, que es usté joven todavía y de una guapura que admira y pone respeto —

dijo Tigre Juan, con efusión. Y a seguida, cerrando los ojos, por envalentonarse, tartajeó —: Pero...

—Pero mi reino no es de este mundo — atajó doña Iluminada, viniendo en su auxilio —. Alárgueme esa mano, que sellemos un pacto de amistad, como nunca se ha visto. Apriete, hombre, sin empacho, que soy mujer de carne y hueso, y no criatura impalpable ni fantasma, como usté da a entender. ¡Ea, camarada! En virtud de esta alianza, nada quede disimulado y vergonzante entre nosotros. ¿Promete?

—Prometo.

—Prometo y me comprometo yo también. Y desde este mismo punto comienzo a cumplir el compromiso. ¿Cómo anda usté de paladar para las verdades desabridas?

—¿Yo? De perillas. ¡Pues bueno fuera! — repuso Tigre Juan, todo desmadejado.

—Me place. Atención entonces. La moza a quien Colás cortejaba le dió las calabazas consabidas porque dice que antes muerta que vivir en compañía de usté, cuya presencia le espanta, y acabaría por morirse de miedo; como si usté fuera enterrador, verdugo o sacamantecas...

—¿Eh? ¿Eso dice? ¡Ah, perra!

—Que no quiere a Colás es cosa notoria, y la razón principalísima, si no la única, del desaire. Lo demás, excusas sin sustancia. Pero ella por ahí lo echa a volar, y usté pierde en su reputación.

—¡Ah, marraja! Como todas, al fin.

—Por lo cual yo le aconsejaba a usté casarse.

—Lo que son las coincidencias. Otro tanto me aconsejó Colás.

—Luego mi consejo no iba descaminado.

—¿Y eso?

—Casado usté, su mujer no querría a la vera y siempre encima otro matrimonio novato, caso que Colás se casase a poco.

—Pues sí que no. Cae de su peso. Cada casado casa quiere.

—Así es. Acreditaríase, además, que hay mujer que no se espanta de usté y que le quiere. Conque la excusa de la moza ya no valía un comino. ¡Qué digo mujer!... ¡Tantas habrá que se despepiten, si usté les guiña un ojo!

—¿Guiñar yo? A buena parte... Guiñaría, si tuviese ojos de basilisco, que mata con la mirada. Juro que no dejaba una mujer para contarlo. Mala raza, encizañadora y artimañera.

—No jure. De tanto como las desea, porfía en aborrecerlas.

—No, no, no.

—El hijo del aire desplegará un día el alón. No haya engaño. Hallaráse usté solo. Se ha de casar. La mujer vive sin arrimo. El hombre, no. Confórmase la mujer queriendo callada; el rejalgar le sabe como arrope, y es feliz en procurar la ventura de aquel a quien quiere y de quien recibe desamor en pago. El hombre, más débil en esto, ha menester quien le quiera y se lo declare. Y cuanto más hombre y más áspero, tanto más lo ha menester. El sino de los solterones carcamales es como el de las gallinas: morir devorados por una zorra o que la cocinera los desplume. Cásese, cásese. Por su bien le amonesto. Una mujer asentada ya y curada de devaneos pensé que era la que mejor conformaba con su carácter y circunstancias. Arrepentida estoy de esa idea. Para eso no vale la pena casarse, dirá usté. Conforme. Si no yerro, roza usted por los cuarenta y cinco; pero, por sus costumbres metódicas, y acaso eso de vivir siempre a la intemperie, no ha variado usté apenas desde que le conocí, y va para largo, a no ser el pelo, que se le pone plomizo, mas el bigote aun lo tiene como betún. Pues ¿el corazón? Una fragua; bien lo sé. No le vale tapar ese fuego; las centellas le salen por los ojos.

—¡Qué atrocidad! Señora...

—No olvide la mutua promesa. Lo que pienso digo. Sufre usté de apetito retrasado. El alma le pide bocado fresco y copioso, que satisfaga. Tarde o temprano, se me levanta usté de cascos por una moza garrida. Conque, cuanto antes, más presunciones de salir airosamente con ese negocio. Dios le inspire en la elección. He de ayudarle, aunque en ello me vaya la vida, como aliada juramentada. Cuatro ojos ven más que dos. Las mujeres no son todas de la calaña que usté dice, por decir, claro está. Pero hay algunas tan sutiles e hipócritas, que al lucero del alba se la dan con queso, y mucho más a usté, que en lo de bien pensado es una avutarda; no así a mí, que soy de la misma hilaza de todas y estaré alerta; que las malicias de una mujer, por muy arrebozadas que vayan, otra mujer las saca de claro, si se lo propone. Ya que no sea yo feliz, séalo usté, y una parte me tocará a mí. Cubriéndole las espaldas me tendrá siempre, como ángel custodio. Y la esposa que usté tome, en mí hallará suegra más que amiga, por lo que la he de espiar y lo derecha que la haré andar.

—¡Pa, pa, pa, pa! Eso es hablar de la mar y sus derrotas a quien siempre ha de vivir tierra adentro. De otros descalabros me libre Dios, que de las mujeres me libraré yo. Colás es mi báculo.

—Dirá usté su freno.

—Colás es mi único afán, y vaya o venga, cásese o no, con las alegrías y penas que él me depare tengo sobrado para ocupar mi vida y dar pasto a mi corazón. Larga plática hemos sustentado. Dejémoslo ya por hoy, que se ha hecho noche cerrada.

—Porque le quiero en buena amistad, he hablado con tanta desenvoltura; ha de entenderme.

—Quite allá. Entre nosotros... Mucho me queda que rumiar. Refiérome a los amores de Colás.

Hizo una pausa. Al cabo de ella exclamó, con inflexión jaculatoria:

—¡Ay, Vespasiano! ¿Por qué no te hallarás en Pilares? Pues ¿no es mala pata? Una semana hace que se ha marchado. Hasta abril no estará de vuelta.

—¡Qué incongruencia! — comentó la viuda, riéndose —. ¿Para qué quiere aquí a Vespasiano?

—Para aconsejarme de él y solicitar su valimiento.

—Valimiento, ¿con quién?

—¡Toma, con las mujeres! No hay una que se le resista.

—Lo pongo en cuarentena. Con aquella facha de mírame y no me toques.

—Elegancia y gentiles maneras. No confundamos. Ya quisiera yo...

—¡Jesús! Bien; pasemos por lo del valimiento. Y eso, ¿qué?

—¿Qué? ¡Anda!... Pues si él hablase con la moza que desprecia a Colás...

—La enamoraría, de seguro, ¿no es eso?, y luego la despreciaría. Y quedaba usté vengado. ¡Bonita intriga! ¡Qué vergüenza!

—No; sino que con su labia y su verba la persuadiría a mudar de parecer, y en un periquete me la enamoraba de Colás. Apuesto. Se da una maña...

—¿Amor por embajada? ¡Tate, tate! Y menos con tal encomendero.

—Hállele tachas.

—No más de dos: deshonesto y embaucador.

—¡Señora, eso es un ultraje! Vespasiano es el amigo a quien más aprecio. Convencido estoy que él me corresponde.

—Sé que usté siente flaco por él; pero yo prometí decirle la verdad paladina, y a mi promesa me atengo. Buenas noches, camarada.

Salió Tigre Juan de la tienda. Desarmó su puesto; recogió y amontonó las maconas; después, las cubrió con una lona embreada, las ató con varias vueltas de una cadena, que sujetó, finalmente, a la columna de granito, por medio de un candado. Echó a andar bajo los porches, chocleando con las almadreñas en las losas del piso. Era noche de octubre, con luna.

Tigre Juan iba sordamente contrariado, con un malestar semejante al que sentía cuando, después de haber cerrado un trato mercantil, caía en la cuenta de salir perdiendo; porque era algo tacaño. Acababa de perder un tanto por ciento de respeto a doña Iluminada. Sentía una nerviosidad difusa. Estaba saturado de electricidad, que a la menor provocación se desataría en chisporroteos y descargas.

En tal estado de ánimo, llegó al escondrijo de Carmona, la verdulera. Había que atravesar primero una cuadra tenebrosa, donde había dos mulos díscolos. Tigre Juan avanzaba a tientas. La frente se le hundió en una tupida y fofa tela de araña. Al limpiársela, a manotadas, se levantó un enjambre de moscardones. Uno de los mulos le soltó una coz silbante, que no le alcanzó. Tigre Juan encendió una cerilla y, tomando un rodeo por las ancas del mulo, le disparó con toda su fuerza un puntapié en la panza, a tiempo que prorrumpía en improperios denigrantes para el dueño de la bestia.

Resoplando, penetró en la pieza donde yacía la enferma. Era un cuchitril indecente, descascarilladas y humosas las paredes, sin ventanas, el piso terrero, y de espacio lo preciso para una colchoneta, tirada en el suelo y poco más gruesa que una oblea, unos capachos al pie, y una silla perniquebrada a la cabecera. Ardía una vela de sebo, enchufada en una botella, sobre la silla. En la colchoneta estaba extendida Carmona. Carmina dormía en los capachos, enroscada como un gozque.

Hacía meses que Tigre Juan no había visto a Carmona, llamada así, en aumentativo, por corpulenta y colorada. Al pronto, no la reconoció. Estaba reducida a los huesos, y en la cara no le quedaban sino ojos; dos bolas de azabache brillador, con una como gota de sangre, allí donde se reflejaba la lumbre roja de la vela. Había oído Tigre Juan que estaba tísica; mal sin remedio en los pobres. No esperaba hallarla agonizando.

Contemplaba Tigre Juan a Carmona con misericordia infinita, sin osar desplegar los labios, que tenía fruncidos, así como la nariz, las cejas y la frente. A la enferma, entre los vapores de la fiebre, le pareció que surgía ante ella un mascarón o aborto del averno.

—¿A qué vienes? ¿Qué me miras de ese modo? ¿Qué haces ahí, metiéndome miedo? ¡Márchate, cornudo! ¡Esconxúrote! ¡Déjame morir en gracia de Dios! ¡No me hagas renegar! — gimió, estirando hacia Tigre Juan unos huesos envainados en cuero cordobán, que eran los brazos, y haciendo con los dedos la cruz, como para ahuyentar a Lucifer.

Tigre Juan no la oía apenas. Meditaba. Aquella mujer iba a morirse en seguida. Ya presentaba faz hipocrática. Puesto que no cabía otro auxilio, Tigre Juan se impuso el deber de infundirle aliento y descuido; que el trance, por no sospechado, le fuese llevadero. Nada mejor a este propósito, calculó, que hablarle en chanza, como si le diese a entender que sanaría en seguida y no tenía razón sino para estar más alegre que unas castañuelas. Pero el fuerte de Tigre Juan no era precisamente el gracejo comunicativo.

—¿A qué vengo? A soltarte cuatro frescas, redomadísima maula. Pues me gusta, ¡caracho! Estarte, días y días, tumbada a la bartola, como odalisca... Y todo por un romadizo de pitiminí, que se quita en un decir Jesús, con unas ventosas sobre la tabla del pecho, salva sea la parte, y unos gránulos, que yo mismo te enviaré mañana... ¡Ah, marmota! Poco he de valer o como soy Tigre Juan que te voy a levantar aína de ese camastro a bailar la giraldilla, sacudiéndote azotes si no te avienes al compás de la gaita.

Tigre Juan se había hecho la ilusión de poder acertar con frases de inteligible inflexión humorística, que a la doliente hiciesen reír y como que la acariciasen. Pero, progresivamente, hablando y de consuno escuchándose, advertía que todo lo que decía era cruel, estúpido y grosero. A medida que se iba irritando consigo mismo, el acento de la voz se volvía más áspero, más agresivo. Otro tanto le sucedía cuando intentaba cantar. La melodía le resonaba cristalina y tácita dentro del cráneo, como lamento de ruiseñor entre el claro de luna; pero al sacarla a los labios degeneraba en graznido de palmípedo. Habíase esforzado ahora en componer una sonrisa benigna, melificada. A pesar suyo, presentaba una carátula de sayón, sicario o esbirro, que se refocilaba en el tormento de la víctima.

—No me insultes. ¿Qué daño te hice? ¿Por qué me maltratas? ¡Virgen, ampárame! ¿Eres el enemigo malo? ¿Moríme ya? No me remates, no me remates, asesino, Barba Azul, que no soy tu mujer. Aguarda hasta rayar el día, que venga el señor cura...

La voz de la moribunda, esparcida en intervalos más y más dilatados, se ausentaba, como si le hubiesen tapado con un pañuelo la boca. Tremaba toda ella, con estremecimiento acelerado y breve, de hoja seca, apenas asida al árbol. Multiplicábase, extinguiéndose, el eco con que la tos reducía a astillas lo que Tigre Juan había llamado la tabla del pecho.

Furioso bajo su malhadado sino, que siempre, cuando quería brindar al semejante con un sorbo del mosto generoso que en su corazón añejaba, convertíase imprevistamente en vinagre, y ya que su presencia caritativa, lejos de aliviar a Carmona, le exacerbaba las congojas y terrores de la agonía, Tigre Juan decidió marcharse de allí. Volviéndose hacia la puerta, echó de ver a Carmina, acurrucada en su capacho. Fué a darle un beso, ahora que estaba dormida, pero cuando se inclinaba hacia ella, la madre, con insospechada y sobrenatural energía, arrojó un grito desgarrado:

—¡Ladrón, ladrón! Que me la lleva. Hija de mi alma.

Despertó Carmina asustada y rompió a llorar con grandes clamores.

Tigre Juan, anublado el juicio, salió de huída, mesándose el lanudo cabello y renegando de su perra suerte. Detúvose en la calle, a recobrarse y reflexionar lo que debía hacer. Acercóse luego a casa de unas vecinas, repicó en la puerta y, a voces, les dijo que acudiesen cerca de Carmona, a quien venía de visitar y la dejaba en las últimas, abandonada de todos.

Retornó a su casa. Era más tarde que de costumbre. Colás le aguardaba para la cena, sentado, con los codos en la mesa y la cara escondida en la palma de las manos. Al oír el golpeteo de las almadreñas en el tillado, el mozo levantó la cabeza. Se había afeitado las barbas. Tigre Juan, ante aquella novedad, pensó: «Será por probar si está más guapo y así le gusta a la desdeñosa Dulcinea.» Conocedor del amoroso infortunio de Colás, Tigre Juan esta noche sentía hacia él más ternura que nunca. Hubiera querido cogerlo en brazos, como a un niño, hacerle mimos y finezas, y decirle: «No te desazones, galán, mientras me tengas y yo te tenga.» Pero no se atrevió a decir palabra.

Transcurrió la comida en silencio. Tigre Juan, aunque sobrio por hábito, bebía hoy con frecuencia, vaciando de un golpe los vasos de vino. La tensión de sus nervios iba en aumento. Colás no alzaba los ojos del plato. A los postres, dijo concisamente:

—Mañana he de madrugar mucho.

—¿Preparas alguna lección para la clase en la Universidad?

—No es eso.

—¿Entonces?

Colás callaba.

—Culpable es tu traza. ¿Qué hiciste, neñín? Dime. ¿Alguna calaverada gorda? Sinceridad, valor. El hombre ha de ser bravo. La mayor bravura y la más noble, no temer la verdad.

—No la temo por mí.

—Pues habla.

—Mañana, a primera hora, me marcho de Pilares.

—¿Que te marchas? ¿Cuándo me has pedido consentimiento y viático? ¿No me debes obediencia? ¿Acaso eres libre?

—No soy libre. Nunca lo seré. Quiero una cosa y hago la contraria, sin querer. ¿Por qué? ¿Lo entiendo yo mismo? Una fuerza irresistible me ofusca e impele. Cuando acuerdo e intento retroceder, es ya tarde. Todo se ha consumado.

—En tal caso, frente a esa fuerza irresistible, aquí estoy yo con mi autoridad. ¡Ay de ti, si te rebelas contra ella! No sabes de lo que soy capaz, puesto en el disparadero. También a mí, ¡ay, Dios mío!, me arrebata tal vez una fuerza irresistible que destruye aquello que más amo.

Tigre Juan apretó los ojos y después los cubrió con las manos. Retiró luego las manos, fué abriendo lentamente los ojos y concluyó:

—No te permito marchar. ¡Óyelo bien! No te lo permito. Cerrado el debate. Punto en boca.

Tigre Juan adoptó una tiesura imponente. Con la garra contraída, arrebujaba el mantel. Hallábase en una extremosa e insufrible tirantez de ánimo; próximo a estallar. Hacía muchos años (desde su juventud) que el ciego furor no le inundaba las entrañas en una marejada de tanto ímpetu. Colás nunca le había visto así. Otras veces que se enfadaba y alborotaba, sus ademanes enfáticos y un tanto cómicos, bien veía Colás que eran inofensivo disfraz de un alma tierna y tímida, que no atinaba a exteriorizarse con la expresión apetecida. En cambio, ahora estaba realmente terrible en su continencia forzada, exasperada, que no podía durar.

—Padre — murmuró Colás, amorosamente.

—Padre, sí. Es la primera vez que me lo llamas. Más que padre.

—Padre — repitió Colás, con reprimida emoción.

—Padre, ¿qué? ¡Acaba, que me impacientas y estoy a pique de irme del seguro!

Oyéndose llamar padre, Tigre Juan desfallecía, en un desmayo sentimental. La onda colérica que le henchía había llegado a un punto de plenitud e inestabilidad, indecisa entre reventar con violencia o replegarse y evaporarse en humedad de ojos. Esto dependía de la respuesta y actitud de Colás.

—Padre: todo está consumado — dijo Colás con entereza.

—No entiendo ese lenguaje por demás conciso, embozado y alegórico. Háblame como dos y dos son cuatro. Te lo ordeno.

—He sentado plaza de voluntario. Mañana, a las seis, salgo con otros reclutas para Valladolid, y de allí, más tarde, para Cuba o Filipinas. He pedido servir en Ultramar.

Aquí, Tigre Juan salió fuera de sí, perdido el seso. Su piel de cobre no era ya amarilla ni verde, sino escarlata, como metal en fusión. El gesto, exterminador. Retraía los labios y mostraba los recios dientes caninos, de animal de presa. Los ojos, muy abiertos, encovados entre el matorral del ceño, le bizqueaban, encarnizados. Sobresalía de sus sienes un haz de venas negruzcas, parecidas a sanguijuelas. Se recogía, flexionando en las piernas, con los codos pegados a las costillas, adelantadas las cabelludas manos y engarabitados los dedos, como para lanzarse de un salto sobre Colás. Proyectada por un candil que había sobre la mesa, la sombra del cuerpo, partiéndole desde los talones a lo largo del piso, doblándose luego pared arriba y, finalmente, por la techumbre, describía un hiperbólico garabato o interrogación trágica, de donde parecía pender Tigre Juan, como un ahorcado. La voz le brotaba desmenuzada, como en esquirlas, entre resuellos de verdadero tigre.

—¡Granuja! ¡Hijo de mala madre! Cría cuervos... ¡Qué cuervos: buitres! Peor. ¡Hiena! ¡Ah! ¡Ah! ¡Ah! Mío eres, mío, de cabo a rabo; de pies a cabeza. Sin mí, ¿qué fuera de ti? Págame tu deuda, infame. Si no tienes con qué, por mi propia mano me cobro, traidor. Pero, ¡imbécil de mí!, ¿qué vale tu vida vil? Menos que la de un escarabajo. Te aplastaría con el pie: así.

—Cierto. ¿Qué vale mi vida? Quítemela. No me defenderé — dijo Colás, inclinando la cerviz.

—¿Qué te has de defender tú, blanco? Te desharé con uñas y dientes. Defiéndete. No te defenderás, gallina. Sólo son bravos y saben defenderse los hombres que tienen conciencia del deber.

—Me precio de poseerla. Usté fué mi maestro. La lección no desaproveché. Por esto, ante todo, reconocido le estoy, tanto como por el cariño que siempre me tuvo, más que por ninguna otra cosa de protección material, como casa, alimento, vestido, dinero, que también le agradezco con toda mi alma; sábelo Dios. Hay guerra en Cuba y Filipinas. Mi conciencia me llama allí, adelantándome a que me toque la suerte, que había de ser muy pronto, no lo olvide.

—¡Ah, rayos! Sobre ingrato, taimado y mentiroso. Conque, ¿te vas siguiendo la voz del deber? Pues ¿no era tu deber primero dar satisfacción a los desvelos de quien te sacó de la nada? Este curso no más te faltaba para recibirte de abogado. Pues toda la obra de dieciocho años, desde que te recogí; tantas penas, tantas esperanzas, tantos gastos que no fueron flojos; todo, todo lo tiras por la borda en un segundo, porque sí, por tu santísimo capricho, sin encomendarte a Dios ni al diablo, como si fueras señor de tu albedrío.

—Ya he dicho que no lo soy.

—No me interrumpas, o juro que no respond de mí, canalla — rugió Tigre Juan, exaltado y hasta el frenesí —. Conque, adiós, a las Indias m voy, te lo vengo a decir. Por amor a la patria.. ¿Y qué más? Pero ¿soy yo un idiota? ¿Por quié me has tomado, so pillo? Por amor a la patria.. Si así fuera, quizás yo mismo te alentara. Por l patria me cortaría yo un brazo, y aun los dos Escapas, huyes, como un cochino cobarde..., por que una mujer no te quiere. ¡Una mujer! Una mujer: lo más ruin y despreciable que hay en la tierra. Digo mal: más despreciable y ruin es el hom bre que, como tú, consiente ser despreciado y burlado por ellas. Ganas me dan de llorar, de rabia y de vergüenza. Pues que, ¿no tienes manos? Y si no te bastasen las manos, ¿tan cara cuesta una navaja cabritera que te faltó dinero para mercarla? Te miro y no doy crédito a mis ojos. ¿Eres tú aquella misma carne, pequeñina y coloradina, que hace dieciocho años saqué yo del fango de la calle, donde iba a quedar abandonada, y la conduje a mi casa, para hacer de ella, a costa de mi tranquilidad e independencia, un buen hijo y un hombre cabal? Era una mañana de mercado, en invierno. Hacía mucho frío. Llegóse a mi puesto una aldeana, con un crío de pocos meses, casi desnudo, amoratado. Venía de Traspeñas a que la colocase de ama de cría. Traigo el rapacín, dijo, pa no perder la leche en el camino; si usté no me lo quiere echar al torno del Hospicio, mandarélo a la breña, con vacas y zagales. Y me lo dejó caer en los brazos. El rapacín mirábame, mirábame, riéndose. Reíase, mirándome. ¡Ángel de Dios! Con las maninas me tiró del bigote. ¡Yo no le daba miedo! Entróme no sé qué, que me ahogaba. Y ya no lo solté. No te solté; porque el rapacín eras tú. Y yo fuí mandadero del Padre celestial, que da de comer al paxarín desvalido y viste de hermosura el lirio de los campos.

La voz de Tigre Juan estaba ahora amasada con llanto. Creyérase que, agotado, se iba a apaciguar. Colás pensó arrojarse a sus pies, de rodillas, pero en aquel instante Tigre Juan rompió otra vez a rugir con la más aguda indignación, despidiendo las palabras a sacudidas violentas, al modo como se recude una vasija (el pecho) de los últimos residuos de su contenido:

—¡Hijo de mala madre! ¡Cachorro de hembra descastada! ¡Descastado! ¡Pirata, villano, ruin! Por otra mala mujer vendes al padre que el cielo te dió. Vendes al cielo mismo. ¡Te repudio! ¡Te maldigo! No te acuerdes más de mí. ¡Apártate! ¡Apártate!

Después de una pausa aulló, con un alarido de horror, y también de súplica:

—¡Por Dios, vete! ¡Sal de aquí! ¡Enciérrate con llave en tu aposento! ¡Por lo que más quieras! ¡Por la mujer a quien amas! No me puedo contener. ¡Sálvate, hijo! Tigre Juan; Juan, tigre. Te mataré a pesar mío. ¡De prisa, de prisa! ¡Sálvate, hijo!

Colás salió sin apresurarse. Desde la puerta volvióse a decir, mortalmente pálido:

—Sólo me aflige que usté pueda pensar que no soy un hijo agradecido y amante. Perdón. Adiós.

Tigre Juan, de un brinco, se lanzó a la puerta, en el momento que Colás la cerraba. ¿Iba a abrazarle o a estrangularle? ¿Qué sabía él? Lo mismo podía resultar lo uno que lo otro. Iba sin libertad, como la flecha hacia el blanco que ella ignora. Detúvose un instante en la puerta. Retrocedió a sentarse. Se desplomó sobre la silla, desencuadernado como un pelele.

Después de largo lapso de silencio en la casa, la Güeya penetró en la pieza que hacía de comedor, a levantar el servicio. Tigre Juan se incorporó, rabioso, y comenzó a tirar platos y vasos a la viejísima criada, chillando al tiempo:

—¡Tuerta maldita! Bruja. Desollarte debiera. O quemarte viva. Tú has traído el mal de ojo a esta honrada mansión. Saldrás de mi hogar cuanto antes; que no te vuelva a ver. ¡Toma, por bruja y aojadora, barragana de Satanás!

Uno de los platos se quebró en el cogote de la vieja, quien, llevándose las manos a la parte contusa y observándolas luego con alguna mancha de sangre, salió de estampía, vociferando:

—¡Salvador de los hombres! ¡Matóme por la nuca, como a una vaca! ¡Asesino!

Tigre Juan tomó el candil y fué a encerrarse en su dormitorio, atrancando por dentro. Era un camaranchón abohardillado, con un ventanuco cenital. Por la parte en que suelo y techumbre se unían en ángulo agudo había grandes montones de grano: maíz, trigo, judías. El lecho era de monje: unos caballetes, unas tablas, un jergón de hoja. Sentóse Tigre Juan al borde; mas no podía estarse quieto. Estremecíansele todos los miembros, como azogado. Se asfixiaba. Fué a levantar la tapa del ventanuco. Sus pies tropezaron con un montón de trigo. «¿Para qué quiero yo esto? ¿De qué me sirve el caudal ahorrado? ¿Quién lo ha de disfrutar?» A patadas, entreveró los diversos montones. Sentóse otra vez en el jergón. «Debiera matarme. ¿Qué fin ni qué utilidad tiene mi vida?» Aumentaba su temblor y angustia. «¿Cómo? ¿Matarme? ¿Cobarde yo? ¿Yo desertor del cumplimiento del deber? Vivir para sufrir. Dios lo manda. Tantos años, tantos, castigando con el látigo del deber la furia del alma y la rebeldía del cuerpo hasta someterlos... En un abrir y cerrar de ojos, de nuevo la fiera se revuelve y me derriba. ¿Do está el látigo? Vivirás, vivirás, vivirás. ¡Ay de mí! me siento morir...» Cayó por tierra, retorciéndose en convulsiones. Al volver en sí, amanecía. Se lavoteó y se acicaló brevemente, como todas las mañanas. Parecía que le habían permutado el cuerpo; tal era el quebrantamiento de huesos y la torpeza de músculos, mal ajustados todavía a la obediencia de la amodorrada voluntad. Resucitaba en un cuerpo difunto. «Pobre Tigre Juan. Acabóse ayer. Soy un cadáver que anda.» Pensó ir a la alcoba de Colás, abrazarse con él, decirle su arrepentimiento, mostrarle la verdad de su sentir, darle el beso paternal de despedida. «¡Bah! Inútil. Es irreparable. Colás me aborrece ya. Le he maldecido. Las amarras están cortadas. Perdido para siempre. ¡Hijo mío! ¡Pobre Tigre Juan! Acabóse ayer. ¡Pobre Tigre Juan!» Con los zuecos en la mano, descalzo, para no hacer ruido, Tigre Juan salió de casa. Era domingo. Tañían campanas para misa de alba. Tigre Juan se dirigió hacia la aldea, por rutina. Todos los días a tal hora iba a la rebusca de hierbas salutíferas. Hoy no se acordaba de aquello. Ciego a todo, las manos anudadas sobre los riñones, la cabeza derrocada sobre el pecho, caminaba, caminaba, sin saber adónde. Por instinto, buscaba las cuestas arriba, como si aspirase llegar por último a la cima de su calvario y epílogo de su redención. Cruzaban con él labriegos, en grupos marchosos y parlanchines, que acudían al mercado de Pilares. Viejos glabros, de rostro epigramático y suspicaz, el paraguas rojo, de dorado regatón, debajo de un sobaco, al hombro la chaquetilla, con coderas verdes y moradas. Llevaban un cochinillo berreando, pizarroso o asalmonado, sujeto de una pata trasera por un cordel. Mozas garridas, de riente y fresca faz; el refajo, color de manzana o de limón, agitado en un tejemaneje, lleno de donaire. Libres las manos y braceando, porteaban sobre la sesera anchas banastas desbordantes con pollos, gallinas y patos, asomados de pechuga afuera, como en la barquilla de un globo, el pescuezo oscilante, los ojuelos alarmados. Daban con algazara los buenos días a Tigre Juan. Él no respondía. Apartóse del camino de herradura y siguió una vereda que conduce a la ermita del Cristo de la Esclavitud, anidada entre castaños, en la cresta de un cueto, el cual, en su raíz, está perforado por un túnel, paso del ferrocarril desde Pilares a León. Al llegar Tigre Juan comenzaba la misa en el santuario aldeano. Se adentró, atravesando entre la gente campesina arrodillada, muchos de ellos con los brazos en cruz y la cabeza escorzada en éxtasis. En el altar mayor había un Cristo de tamaño natural, muy curtido de color; una gran cadena le pendía desde un dogal al cuello y dos esposas en los brazos; llevaba falda de velludo violeta con galones deslucidos, larga hasta los pies, y, por debajo de éstos, tres huevos de avestruz. A un lado y otro del Cristo colgaban exvotos: sórdidos hábitos de amortajar, piernas, brazos, ojos, senos femeninos, de cera virgen, azafranada.

Tigre Juan fué a prosternarse junto al presbiterio, lo más cerca del simbólico sacrificio. Se dobló, hasta dar con la frente en una losa de sepultura. Oró, mental y cordialmente, con unas pocas palabras, las únicas de que disponía en su tribulación: «Señor, Señor, ¿por qué me abandonaste? ¡Hágase tu voluntad divina! ¡Pobre Tigre Juan! Acabóse ayer. ¡Pobre Tigre Juan!». Cuando tocaban para alzar, se oyó un silbido remoto, persistente. Era el tren para Castilla, que iba a atravesar por el seno de la montañuela, bajo la ermita del Cristo de la Esclavitud. De repente, Tigre Juan se puso en pie. Echó a correr hacia el pórtico, no sin atropellar y derribar a varios fieles, ancianos y gemebundos. Corrió luego cuesta abajo, desolado, en dirección de la boca de salida del túnel. Detúvose a media ladera. El monte trepidaba. Ya aparecía el tren. En aquel tren iba Colás. Por el fondo de una trinchera a modo de cauce, corría ya la cabeza del convoy, resbalando, derramándose, colmando el álveo, como un reguero de alquitrán humoso. ¿Fué, acaso, ilusión del deseo? Tigre Juan creyó ver un pañuelo blanco que palpitaba en un costado del tren. Al disiparse, allá lejos, la última vedija de humo, unas lágrimas bailaban en los ojos, de gato montés, de Tigre Juan. Volvió al mercado. Colocó el puesto y se aplicó a sus quehaceres. Quería evadir la mirada de la viuda. Inevitablemente, tropezaron en el espacio los ojos de uno y los de la otra. Tigre Juan sintió que los ojos de doña Iluminada pasaban sobre él, acariciándole, como una mano por el lomo de un gato. Eran también ojos de elocuencia inefable, que le enviaban un mensaje cifrado, cuya traducción decía: «A todos nos llega la contraria. La mía dura ya años, sin otra esperanza que ir a reunirme con el fallecido. Usted llevaba una temporada más que regular de calma chicha. Ya resuenan los clarines de la borrasca. Atención y serenidad, no naufrague.» ¿Le decía todo esto doña Iluminada con los ojos, o era que Tigre Juan, conforme a su gusto, lo quería entender así? La imaginación le hacía ver hoy el mercado, con su fluir y refluir, con su encrespamiento, alboroto y retumbo, como un mar, en medio del cual él estaba insulado, solo, tan próximo a los demás hombres y, sin embargo, tan distante, muriéndose de sed en la inmensidad del agua salobre. Los toldos de lona, repletos de viento, le evocaban el velamen de los navíos. Herido de ausencia el pensamiento, se le iba hacia Colás. Lo veía en la cubierta de un barco, rumbo a los campos de batalla, en otros continentes. «Colás, hijo mío: ¿por do andas? ¿Renegaste de mí? Ayer yo no era yo: era un orate. ¡Pobre Tigre Juan; acabóse ayer! ¡Pobre Tigre Juan! Y todo por una mujer. Ellas, causa de todo daño y aflicción. Segunda vez, una mujer destroza mi vida. Por doña Iluminada sabré quién es la moza. Garrote merecía. He de vengarme, a poco que pueda. ¡Pobre Tigre Juan! Acabóse ayer. ¡Pobre Tigre Juan!»

Aunque recogido en su meditación, esto no le estorbaba atender, paralelamente y con escrúpulo, a quienes se le acercaban en consulta o de compras, que eran muchos, como día de mercado. Lo que no hacía era mirarles la cara. Hubiera visto en tal caso que, no ya los que venían a su puesto, sino cuantos pasaban cerca, deteníanse a examinarle de reojo, táles con pasmo, cuáles con repulsión, y cuchicheaban luego entre sí. Según avanzaba la mañana, iban propagándose velozmente por el mercado distintas voces y noticias acerca de las peripecias que el día anterior le habían acaecido a Tigre Juan. Se decía que había entrado en secreto en el cuchitril de Carmona, y algo gordo le había hecho, pues la mujer murió a las pocas horas. Que al entrar o salir en la guarida de la verdulera había malherido a un mulo de Cipriano Mogote, el vinatero. Que había despedido a la Güeya, después de muchos años de servicio, sin querer pagarle, y no sin antes descalabrarla. Finalmente, que, hastiado de su sobrino, con el cual andaba siempre en discusiones, altercados y regañinas, lo había arrojado fuera de casa, negándose a darle un ochavo en lo sucesivo, y el infeliz muchacho, viéndose a la luna de Valencia, no tuvo otro remedio sino sentar plaza.

A cosa de mediodía apareció la Güeya en el puesto de Tigre Juan. Traía en torno del cráneo un vendaje tan voluminoso como el turbante del Gran Turco. No venía con la comida, sino a exigir el pago de su soldada y una indemnización por la descalabradura, que no pasaba, en verdad, de un mediano chichón. Tigre Juan le dió cuanto pedía, prometió seguir pagándole en tanto buscaba colocación y rogó, por último, que le perdonase, a lo cual la Güeya, refunfuñando, no se supo si dijo que sí o que no.

Poco después se presentó Mogote, el vinatero (gordo, purpúreo, camorrista, socarrón), ladeada la gorrilla, con blusa de mahón azul, que le bajaba hasta la pantorrilla, y una larga vara de avellano, que hacía girar, como molinillo de chocolatera, entre las manos, después de habérselas restregado, habiendo previamente escupido en la palma. Esta mímica implicaba un reto. Tigre Juan, que estaba inocente, no la entendía. Pero, como un perro trasmite las malas pulgas a quien se halla al lado, así el vinatero, sólo con su proximidad y actitud, contagió a Tigre Juan de una especie de prurito e incomodidad entre cuero y carne. Por dominarse, se encogió de hombros, con tiesura, y arrugó el ceño de su caucásica fisonomía, en una mueca involuntariamente torva. El vinatero consideró prudente retardar el movimiento de rotación que imprimía a la vara de avellano.

—¿Qué hay de bueno, Mogote? —preguntó Tigre Juan, con indiferencia.

—Hágase el tonto —replicó el vinatero, enarcando una ceja y rebajando el lado correspondiente de la boca.

—Tú dirás.

—¿He de ser yo quien lo diga?

—Como no te declares, amigo...

—¡Coime, no gastemos saliva en balde! —y proyectó una escupitina en la mano—. El *Coronel* tién una hernia, y quizás que espiche, anuncióme el veterinario.

—Que me emplumen, si te comprendo. A mí, ¿qué me cuentas?

—Pues ¿a quién se lo tengo de contar? —dijo Mogote, adelantando la jeta y empuñando de revés la vara, el pulgar hacia abajo, empinado el codo —. Las curas, si cura, más el trabajo perdido, y dos mil riales, si muere, que eso vale en buena tasación, más los perjuicios, usté me lo ha pagar, maravedí por maravedí. ¿Óyeme?

—Mogote; sigue tu camino y no me muelas el alma.

—¿Paga o no paga?

—¿Estás curda?

—Llevarélo al Juzgado. Y dempués que haya aflojado la mosca, que es lo prencipal, arreglaremos de hombre a hombre esto que ahora dejamos pendiente. Tengo buena correa pa aguantar. No me he de perder sin antes recobrar lo mío. Y entóncenes... A mí no se me encoge el ombligo por un tíguere homicida ni por la fiera corrupia. Agur. Ya le pesará lo de hoy, tanto como lo de ayer.

—Deténte, Mogote. Un rayo me parta si sé por qué te sulfuras, ni qué me va a mí con tu coronel, tu veterinario, tu hernia, tu ombligo y tu tiguere, y pongo que esto último no es señalar. No sabía que tuvieses metimiento con la milicia, ni se me alcanza por qué a un coronel quebrado le asiste un albéitar y no un físico o un cirujano castrense. O bien estoy soñando. Tales son las cosas extraordinarias que desde ayer me suceden, de las cuales, cierto que me pesa; en eso has dicho bien.

—Encima, ¿tómame de babieca y ríese de mí, en mis barbas? Pues ¿iba a llamar a un físico de galones pa poner braguero a un mulo? Tanto me da que usté niegue como que no. Aunque no hay testigos de viso, probarle he que usté dió la patada a mi *Coronel*, el mulo digo, en la ínguele.

—¡Recaracho! ¡Acabáramos! No niego, Mogote. Como hablabas tan envuelto, tardé en caer. No niego. Una patada le di, y más le diera si, como primero me la dió él, hubiera contestado a la mía con otras. Legítima defensa, que costa en todas las leyes y respetan todos los tribunales — asentó gravemente Tigre Juan, dando al mulo predicamento de adversario racional.

—Quiere decirse que confiesa usté, pero no afloja la mosca, ¿es eso?

—Quiere decirse que podría no aflojarla, asistido de justicia. Pero no quiero pleitos contigo ni con nadie. Pagaré lo que digas, siempre que no abuses.

—Ya me parecía a mí que usté, a pesar de la fama, se avenía a razones — dijo el vinatero, con maliciosa sonrisa, acariciando la vara de avellano, a la que atribuía mágica virtud de persuasión —. Tan amigos. Hablando se entienden los hidalgos. ¡Hasta la vista!

En partiendo el vinatero, Nachín de Nacha junto a sus monteras, habló, guiñando el ojo, a Tigre Juan:

—Mogote, ese pellejo inflao de vino, que se le rezuma por el gargüelo, así está él de sofocao como un tomate, entós, ¿veníate con bravatas? ¿Ello qué fué?

—Causéle un quebranto. Prometíle remendarlo.

—A mí que no me vengan en demanda de remiendos alzando un garrote por delante. Déjome machucar antes que ceder. Yo que tú, iba tras él y sentábale la mano. ¿Qué dirán de ti?

—Nachín, lo hecho bien hecho está — murmuró Tigre Juan, poniéndose verde, pues temía, por el acicate del qué dirán, precipitarse turbado a cometer un desatino. Añadió —: Por Dios, no me hostigues.

—Acá para entre nos, Xuan, tengo pa mí que eres como el jabalino, que de todo escapa, mesmo del ruidín de una fueya (1) que cae; pero, de escapada, no hay quien le ataje ni se le ponga defrente.

—No sé cómo soy. No me importa, ni a nadie le importa. ¡Pobre Tigre Juan! Acabóse ayer. ¡Pobre Tigre Juan! Déjenme en mi cubil. No se metan conmigo. Déjenme solo, como apetezco.

—¡Ajajá! Eso quería oírte. Ya estás solo, sin hijo postizo ni criada ladrona. Ya puedes campar por tus respetos. Nada te ata. Suelto estás. Jabalino eres. Madriguera dañosa tendrás en poblado. No demores aquí. ¿Quién hay, en redor tu-

(1) Hoja.

yo, de tu trato y concordancia? Ven conmigo al Campillín. Apartado vivo allí de bullas; no lejos de la ciudá y metido en la aldea. No bien saco la pata de mi umbral, asiento la madreña en un país encantado, mano a mano con les ánimes y creatures del otro mundo, que es muy buena sociedá; respóndote de ello. Tú no compriendes el canto del cuquiello, ni quieres creer en las xanas, y el trasgo, y el duende, y la huestia, y la santa compaña. Fías, en cambio, y crees, en los hombres. ¿No te desengañaste entodavía? Dícesme que todos aquellos espíritus que yo veo con mis güeyos [1] y oigo con mis oreyes [2] endentro de regatos y bosques, o bien se posan en el tejao de mi casa, o entran por el cañón de la chimenea; dícesme que son más que sombras de inorancia. Sombras, na más que sombras, son todos estos hombres y muyeres que nos arrodean. Convenceráste. Ven conmigo al Campillín. Tú, como yo, silvestre naciste. Yo, vieyo ya. Tú, vas pa vieyo. Lobos de la misma camada. Cabe el llar, platicando de los años floridos, tornarémonos mozos.

—¡Libreme Dios! Viejo caduco quisiera tornarme. Harto mozo me siento, tan sin saber lo que va a ser de mí como en mis verdes años; tan loco furioso como entonces, y si no, hubiérasme visto ayer noche. ¡Pobre Tigre Juan! Acabóse ayer. ¡Pobre Tigre Juan! Parece como si escomenzase a vivir, o séase, a desandar y recorrer de nuevo el mismo camino. No quiero ir al monte, no. Allí pararía presto en alimaña soberbia e independiente. Agradézcote el convite. Aquí afinco, más solo cuan-

(1) Ojos.

(2) Orejas.

ta más gente me arrodea; perseguido, acorralado y reducido a mansedumbre o impotencia. ¡Por mi salud! Éste es Tigre Juan. Acabóse ayer — dijo, como si grabase en piedra su epitafio.

—Allá tú. Si algún día mudas de ditamen, acuérdate de mí.

A la tarde, quedó vacío el mercado. Doña Iluminada cerró la tienda, y luego salió, recatada en un manto. Tigre Juan no se movió del puesto. Doblaron a muerto las campanas de San Isidoro. A poco, asomó el entierro de Carmona, atravesando la Plaza. Acompañaban en la comitiva del sepelio todos los habitantes del mercado. Tigre Juan vacilaba en sumarse al concurso. Doña Iluminada, que llevaba de la mano a Carmina, se acercó y le dijo:

—Venga conmigo, formando en el duelo. He desvanecido la calumnia, con no poco esfuerzo, en lo cual triunfé con la ayuda de este ángel. No vaya usté ahora, por simplicidad y esquiveza, a levantar otro tole tole.

Algunos secuaces y plañideras del cortejo fúnebre hacían alto, volviéndose a escudriñar a Tigre Juan y la viuda. Tigre Juan abrió los ojos hacia la señora, en un gesto implorante.

—Me reiría de la cara lela que pone — dijo la de Góngora — si la ocasión no fuera tan triste. Obedezca. Carmina: da un beso al señor Juan, que anoche te socorrió con una limosna y fué a tu casa por ver si curaba a tu pobre madre.

Tigre Juan echó con premura la lona embreada sobre sus mercaderías. Luego, tendió la mejilla al beso de Carmina, que le inundó de dulce emoción. Se asió a la mano de la niña, oprimiéndosela fuertemente, en un impulso reflejo de gratitud.

—¡Ay, que me lastima! suspiró Carmina.

—Afloje la mano, hombre. Hija mía, dispensa a Tigre Juan. Hasta para acariciar, lastima a pesar suyo.

—¡Qué bien me conoce usté, doña Iluminada! Lastimar y algo peor.

—¿Conocer? Podía no.

A Tigre Juan se le figuraba que el beso de la huérfana le había dejado impreso en la mejilla un divino estigma visible. Caminaba petulante, lleno de sí mismo, como el soldado vanaglorioso que luce una gran condecoración, sin haber estado en la guerra. Una beata bisbisó al oído de otra:

—¡Mírale! Sobre haber rematado a Carmona, que eso no hay quien me lo quite, y allá lo veredes en el último día, cuando salgan todos los trapos puercos de la colada, mírale cómo se relame y regodea en su obra. ¡Jesús, Jesús y Jesús!

Al llegar a San Lázaro, en la última margen de la ciudad, donde suelen despedirse los duelos, Tigre Juan dijo que continuaría hasta el cementerio. Doña Iluminada no quería que la pequeña viese a su madre desaparecer para siempre en una hoya, bajo tierra; indeleble recuerdo. Tigre Juan, por no soltar la mano de la niña, volvió con ellas.

—¿Quién sufraga los gastos del entierro? Yo quisiera contribuir — dijo Tigre Juan.

—No se inquiete. Todo está arreglado.

¿Todo? ¿Qué iba a ser de la huérfana? Delante de ella, Tigre Juan no se atrevía a tratar del asunto, a no ser mediante alusiones que acaso la perspicaz viuda comprendiese.

—¿Todo? — recalcó Tigre Juan.

—Sí, señor.

—Es que ciertas cosas...

—Todo. Y a propósito. Hoy no habíamos hablado todavía. También está usté de pésame. Unos pierden los padres; otros, los hijos. No se sabe qué es peor. Más natural, lo primero. Ahora que fácil es sustituir un hijo; no así un padre. Y no digamos una madre, aunque todo es posible.

—Flojo consuelo me proporciona usté.

—Porque no lo ha de menester. Colás fuése sin despedirse de nadie, que es como salir con la llave de la puerta en el bolsillo, para volver a deshora. ¡Volverá!

—Si no me lo mata una bala insurreta.

—No lo quiera Dios.

—Y aunque volviese. Para mí está perdido.

—¿Perdido? Óigame. Colás hizo lo mejor. Ante todo, no revolverse contra la ingrata, sino salir a realizar proezas por las siete partidas del orbe: cosa digna de un caballero andante, como no se ven ya en estos tiempos.

—No se me había ocurrido.

—En segundo lugar, la piedra de toque de lo que bien se quiere está en la privación. Ausente Colás, sabrá usté hasta qué punto le quería y si él es para usté lo primero y lo único en el mundo.

—De eso no hay cuestión.

—Tanto mejor. Colás, sacrificando una temporada su libertad, se la restituye a usté. Pasarán los días. ¿Que usté sigue lo mismo? Pues nada hay perdido, antes mucho habrá usté ganado en la convicción del cariño paternal que a Colás profesa. Mas si entretanto hay mudanza en el corazón de usté, al menos bendecirá a Colás, que supo apartarse en la coyuntura y no estorbar.

—¡Qué labia de oro! Bien se ve que es usté de Toledo, donde se cría el albaricoque de hueso dulce. Escuchando a usté, no parece que la vida encierra una almendra venenosa. Según usté, yo debiera estar contento como pandero con sonajas, que cuanto más le aporrean, más alegremente responde. No sé qué replicar, pero no me convenzo.

No anhelaba otra cosa sino que la viuda acertase, pero no se decidía a convencerse, temiendo el fracaso de sus esperanzas. Añadió:

—¡Lástima que Vespasiano no esté en Pilares! Le pediría el parecer, que coincidiendo con el de usté no necesitaba yo más para mi reposo.

Estaban a la puerta de doña Iluminada, quien invitó a Tigre Juan a subir. Él se excusó. Era ya anochecido. Tigre Juan se echó a divagar por la ciudad, sin rumbo, a través de solitarias rúas, por retrasar acogerse a la vacía morada, que tiraba de él y a la par le causaba horror. Al cabo de mucho devaneo, hallóse indeliberadamente frente a su casa. El reloj de la catedral daba las diez. Cada campanada, casi sólida, cayendo por el aire, era para Tigre Juan como un empellón invisible, que recibía en la nuca. «¿Qué haces aquí hombre? Si a la postre has de entrar. ¡Hala para arriba!» Subió. En todo el día no había comido. En pie, cenó pan y queso, que sacó de una alacena.

Bajo el influjo de la voluntad oscilante, le oscilaba asimismo el cuerpo, como un árbol, azotado del viento de la duda. Ya se torcía a su dormitorio; ya del lado de la alcoba de Colás. En resolución, de carrerilla, por no arrepentirse en el trayecto, penetró en la habitación del mozo. Luego de una inspección rauda, echó de ver que Colás no había llevado nada consigo. Allí estaban sus trajes, el de diario y el de vestir; toda su ropa interior y su calzado. «Desnudo le tomé; desnudo salió de mi casa. No ha querido deberme nada. Fuése con las manos limpias. Debía de tener aquí anoche, el uniforme cuartelero de rayadillo. No le vi de soldado. ¡Qué majo estaría! ¿Cuándo, hijo, te volveré a ver?»

Tigre Juan decidió conservar la habitación intacta, de suerte que Colás, al retorno, ensamblase sin violencia el momento de la partida con el de la llegada, y comprendiese cómo el hueco abierto por su desgarro de la casa sólo él lo podía llenar. Entretanto Colás andaba lejos, su habitación sería un camarín de reliquias.

Al salir, Tigre Juan vió un papelito clavado con un alfiler a la puerta. Decía:

«Perdón, padre mío; nunca tan padre como ahora que sé que no soy hijo de nadie. No me culpe de ingratitud. Confío vivir lo bastante para demostrarle mi cariño. No desespero que usté me ha de perdonar. ¡Ay, padre mío! Huí, es verdad, porque alguien me tiró lejos, como un despojo.»

Tigre Juan besaba, llorando, las líneas de Colás. Y en voz alta hablaba:

—¿No te he de perdonar, paxarín sin nido, pollo de águila, que en mi seno calenté hasta que le crecieron las alas? Vuela, vuela altanero, adonde el cazador no te alcance. Tú me has de perdonar, que alicortarte quise. Date prisa a matar mambises y tagalos, ¡reconcho!, que vuelvas cuanto antes, con galones de general por lo menos, y que se repudra, ya que entonces no la querrás, la moza que te despreció.

Tigre Juan se retiró a su camaranchón, con la carta de Colás metida en una bolsita, a ras de la piel, sobre el piloso pecho, en unión de otras preciosas hojuelas de papel, sobremanera mugrientas, donde tenía anotadas, logogríficamente, la suma y colocación de sus caudales. Al entrar, el depósito de granos, dispersos y confundidos sobre el tillado, se le presentó como imagen de su propia alma. Ideas y sentimientos hasta ahora clasificados y evaluados, rica cosecha de una larga experiencia, todo andaba ya, dentro de él, embrollado, mezclado, desperdigado, después del cataclismo espiritual de la noche anterior. «¡Pobre Tigre Juan! Acabóse ayer. ¡Pobre Tigre Juan!» Su cerebro no estaba para pensar; se le había quedado entumecido. A tal punto que, apenas se tendió en el jergón, empezó a roncar, sin haberse enterado del tránsito desde la vigilia al sueño.

Al siguiente día, meditó iniciar la tarea operosa de reorganizar y poner en orden su alma. Debía proceder precavidamente, por contrarrestar la acometividad de su antiguo genio, que volvía a renacer. «Bruto eres, Juan, como en tus verdes años. Con cabestro y serreta te he de reducir y gobernar a mis fines.» Otra vez, como en su mocedad, le poseía el afán de venganza, que pone un humo, a modo de venda, ante los ojos de la razón. Por la alquimia mágica del sueño, el amor a Colás se había trasmutado de la noche a la mañana en odio vengativo hacia la desconocida que le había rechazado como un despojo, según decía él. Pero, ¿a quién se refería Colás, al creerse rechazado como un despojo? ¿A la muchacha o a Tigre Juan? No estaba muy claro en las líneas que dejó escritas. Supuesto que se quejase y doliese de la última entrevista con su padre adoptivo, comoquiera que la causa fué la desconocida muchacha, tanta más justificación para que Tigre Juan la odiase y maquinase vengarse en ella. Pero esta vez iba a vengarse fríamente, reflexivamente, sin perder el juicio, sin destruir su propio corazón, como la otra vez. La otra vez... Como los turbiones barren la tierra que cubre las tumbas y dejan al aire los huesos de los muertos, así Tigre Juan se espantaba pensando si acaso su tormenta interior, que ya iba, gracias a Dios, amainando, sacaría a la superficie del presente memorias sepultas, que él creía totalmente abolidas.

Aquel día, doña Iluminada, dentro de su irremediable tristeza, dejaba traslucir una irisación de alegría. Tigre Juan entró en la tienda y preguntó por la huérfana de Carmona.

—Ya le dije ayer que todo estaba arreglado —respondió la de Góngora.

—Es usté mujer de discretas iniciativas. Lo que usté haya prevenido será arreglo que no admite pero. ¿Se puede saber?

—Como que me hace falta su aprobación.

—¿Mía?

—Sí, señor. Será usté quien confirme o deniegue. De su sí o su no depende todo.

—Estoy ya sobre ortigas. En el Hospicio claro que no habrá pensado. Un asilo decentito, ya es otra cosa.

—¡Herodes! ¿Dejaría usté a la niña en un asilo?

—¿Yo?

—Determinada estoy en ver a Carmina adoptada por un particular, como hija. Alguna persona sola, de posibles, con temor de Dios, caritativa... Hable, que de usté depende.

Tigre Juan entendió que doña Iluminada quería colocarle la niña. En la mejilla, como fuego sagrado, se le avivó el calor que la tarde antes le había trasfundido el beso de Carmina. Si doña Iluminada decía otra palabra, se llevaba consigo a la huérfana. Ya imaginaba el futuro a su placer. Y, como siempre le acontecía, frente a la voluntad desertora se encorajinaba consigo mismo, de manera que al producirse exteriormente, en palabras y ademanes, eran éstos rudos, hostiles, como si estuviera agraviado de los demás.

—¡Por las patas de Barrabás!... Con una basta y sobra. ¿No tiene ojos en la cara? A otra puerta. Buen hueso que roer. Busque gallina llueca, que empolla huevos de pata o pava cual si fuesen propios —. Tigre Juan se aceleraba, como res con tábano.

—Eso no es responder acordes. Dígame sí o no.

—Me pone un puñal al pecho. De ningún modo. ¡Qué atrocidad! Habían de regalarme un quintal de trigo, y pediría término antes de responder, por si era hurtado.

—El caso es apremiante.

—Pues recoja usté a la huérfana, y amén — dijo Tigre Juan, sin saber bien lo que decía.

Por los ojos verdes de gato montés, expulsaba un relámpago lívido, que era como el grito de socorro, mudo e intermitente, que los barcos perdidos envían desde el fanal en lo alto del mástil.

—De eso se trata. ¿Aprueba usté?

—¡Ah! —. A Tigre Juan se le apagaron ojos y voz.

—Está por la primera vez que nadie escarmiente en cabeza ajena. Cuando Colás tiende el vuelo y aun resuena el ruido de sus aletazos, me da a mí por repetir la misma experiencia desgraciada de usté. Tiempo perdido, enjaular aves de paso. Si no aciertan a huir, se consumen de tristeza. Con eso cuento y no me importa. Crezca Carmina, fuerte y lozana. En ella me veré vivir. Hágase mujer. Hágase mujer. ¡Hágase mujer! Y si luego me la roba un hombre... Entiéndame bien: robar, robar, y no casar. Un hombre digo, no un marido; que no siempre los maridos son hombres. Si me la roba, aunque luego la abandone, he de alegrarme. He de alegrarme, por ella, y gracias daré a Dios.

—Me santiguo. Usté, tan cristiana. Oígola y no doy fe a sus razones.

—¡Ay, mi señor don Juan! No lleva usté en la pupila grabado el signo de los zahoríes. Por usté se escribió la sentencia del Evangelio, de quienes tienen ojos y no ven. El mundo está por suerte poblado de ciegos, porque, si fueran vistos pensamientos y deseos, so la carne y el hueso, la mayor parte de los humanos morirían de vergüenza. Si las cosas tapadas se sacasen a luz, tampoco usté les daría fe.

Tigre Juan, empeñado en administrar orden a su alma, no estaba para divertir la atención en descifrar acertijos. Volvió a lo suyo:

—¿Sabe usté, por un casual —dijo, verdeciendo—, quién es la moza?

—¿Qué moza?

—¿Quién ha de ser? La de Colás. ¿La conozco yo?

—Ya lo creo.

—Diga —tartajeó Tigre Juan.

—Herminia.

—Herminia... Herminia... —repitió, probando, dentro de su memoria, a colgar esta etiqueta o rótulo en algún maniquí de mujer; pues todas las mujeres le producían impresión no tanto de cuerpos, animados por un corazón sensitivo, cuanto de hermosas esculturas huecas, con una madeja de víboras dentro, en lugar de entrañas.

—Pero, hombre: si está usté en compañía de ella casi todas las noches...

—¿La nieta de doña Marica Laviada? Esa...

—Esa... ¿qué? A ver si dice usted alguna infamia.

—Esa... — Tigre Juan perseguía vanamente el epíteto que le cuadrase—. Esa... Nada. Esa insignificancia, ese comino. Que me ahorquen si sé decir cómo es la tal moza. Y eso que la veo a cada paso. Pues sí que es para llamar la atención. ¿Tiene los ojos azules, verdes o colorados? ¿Es gorda, flaca o entremedio? ¿Estiró o quedóse desmedrada? Vaya, vaya. Bueno. ¡Viva el salero! —dijo, sorbiendo saliva, con fruición. Aquella mujer era acaso la única de todo el mercado en quien, por combinaciones inescrutables del destino, podía satisfacer su venganza de una manera legal, rápida, completa.

Tigre Juan salió de la tienda, hacia su puesto, a urdir el plan vengativo. Emboscados los ojos entre las cejas, de través la boca, mantúvose el resto del día agazapado (que parecía haberle crecido joroba) bajo los grandes paraguas de color bermellón, gualda y violáceo, como uno de esos genios malévolos de la mitología rústica al pie de tres enormes setas policromas.

Después de cenar, Tigre Juan solía ir un rato de tertulia a la tienda de pasamanería de doña Mariquita Laviada. Allí jugaba al tute arrastrado con la vieja y un clérigo, don Sincerato Gamborena, director y fundador del Colegio de Sordomudos y Ciegos. Herminia, algo aparte, en una región de penumbra, solía trabajar, hacendosa. Pero, y esto lo había advertido Tigre Juan, su aplicación era en cosas de vanidad: blusas de colorines, lazos para el pelo, collares de chillones abalorios. Vestíase, además, con pretensiones de lujo, más aparente que de calidad, impropio de la posición económica de la abuela, sobremanera apurada, como nadie ignoraba. Esto bastaba para hacerla antipática a Tigre Juan y que evitase posar en ella los ojos. Colás iba con su tío muchas noches. Nunca se sentaba junto a Herminia, sino que, detrás de los jugadores, seguía o fingía seguir los lances de la partida. ¿Cómo iba a sospechar Tigre Juan que Colás cortejaba a Herminia? Añádase que no había que perder ripio con doña Marica, la cual, al menor descuido, hacía trampas. Esta vieja era tramposa como otros son zurdos o gangosos: por constitución natural. Aunque no le rindiese beneficio, hacía trampas. Trampeando sostenía su comercio. Le atraía y entusiasmaba todo lo que no iba por el carril corriente. A Tigre Juan le debía unos miles de pesetas. El plazo había vencido y el documento del préstamo era ejecutivo. Tigre Juan no había hecho uso de su derecho, por compasión. Pero, ahora... Tenía la venganza en la mano. Instintivamente, apretaba el puño, que no se le fuesen de entre los dedos las riendas del futuro. Pondría a Herminia en mitad del arroyo, pobre de pedir, que emigrase a pie por caminos forasteros, ya que había desterrado a Colás. ¿Y la vieja? ¿Condenada también a extremo desamparo en la edad caduca, sin otro delito que el de conducir sobre los hombros una cabecita rugosa y liviana como nuez vacía?

En estas incertidumbres llegó la hora en que Tigre Juan se retiró a su casa. Cenó parcamente, habiendo él mismo aderezado el yantar. Entró luego en el camarín de las reliquias, la alcoba de Colás, en cuyo recinto se le soliviantó el odio contra Herminia. Salió de nuevo, a reflexionar con más aplomo. Hacía tres noches que no iba a la tertulia de doña Marica. ¿Qué pensaban de él la vieja, la niña y el clérigo? ¿Sabía algo la vieja de los fracasados amores de Colás? De saberlo, lo seguro era que hubiera obligado a Herminia a responderle que sí; siquiera por la hacienda del tío y con la ilusión de hacerse cancelar la deuda. ¿Debía ir Tigre Juan a la tertulia aquella noche, como si tal cosa? Lo que más le movía era el afán de averiguar, al cabo, cuáles pudieran ser los irresistibles hechizos de Herminia, para así haber trastornado a Colás. A la vez, sentía miedo de sí mismo; miedo de reventar en denuestos, a la vista de la sirena; y miedo de aturdirse, de salir escapado de pronto, groseramente. Por otra parte, ¿con qué cara entraría en la tienda, pensando, como pensaba, plantar a las dos mujeres al siguiente día, o al otro, de patitas en la calle? ¿Entraría fingiendo indiferencia? Indigna mixtificación. ¿Con catadura de mal augurio? Descortesía superflua. Lo mejor, pues, era quedarse en casa; que la pérfida Herminia comenzase a preocuparse y se fuese disponiendo para recibir el golpe de gracia. Por fin, no fué a la tertulia aquella noche, ni tampoco la siguiente. En todo este tiempo, su voluntad no dejaba de columpiarse, describiendo, como péndulo, la misma breve órbita, ahora ascendente, ahora descendente, de impulsividad e inercia. La mañana próxima, dando un reloj de torre las doce del mediodía, el cartero le entregó dos cartas. En el sobrescrito de una de ellas campeaba la letra de Colás, nerviosa, con zigzags y combas veloces, como vuelo de golondrina. La otra, de letra femenina, matasellos de Madrid, muy perfumada. Tigre Juan se estremeció. Ambas cartas le causaban igual desconfianza. ¿Qué contenía la de Colás? La otra, ¿de quién era? Dos días llevaba madurando ejecutar a dos indefensas mujeres, y acaso él iba a ser ejecutado antes que ellas. ¿Abriría las cartas? Arredrado ante su propia pusilanimidad, rasgó de golpe el sobre de la carta de Colás. Comenzó a leer. Se puso de un verde-gris de olivo; lo cual significaba, contradictoriamente, que por dentro sonreía. Colás escribía en tono llano y respetuoso, de hijo a padre, como si entre ellos no hubiera mediado desavenencia ninguna. Colás le refería su viaje, al por menor. Al salir el tren del *Monte Furado*, en cuya cresta se levanta la ermita del Cristo de la Esclavitud, había agitado fuera de la ventanilla el pañuelo, despidiéndose de Tigre Juan y de Pilares. Aunque triste durante la jornada, el desfile del paisaje, mudando a cada paso de fisonomía, le daba el olvido. «Pensé que lo mejor hubiera sido andar a pie, con calma, sorbiendo las cosas que se ven. En el tren, las cosas vienen hacia uno brutalmente; le golpean en los ojos y casi quitan la vista, como la carbonilla de la máquina. Prefiero ir hacia las cosas. De niño, soñaba con recorrer, andando, largos caminos, de pueblo en pueblo. Acaso nací para vagabundo.» La algazara de otros reclutas —vihuelas, gaitas, canciones, vino— le aturdía y distraía de sus añoranzas. ¡Qué sol el de Castilla! Pero el sol es más triste que la niebla. Y por ahí adelante.

Tigre Juan se apercibía a contestar en el acto la carta de Colás y enviarle dinero, cuando vió la otra carta, caída en el suelo. La alzó, la abrió y con corazón ligero penetró en su lectura. Decía:

«Mi querido Juan: No te habrás olvidado de mí, bien que los hombres sois egoístas y, por lo mismo, ingratos. No así nosotras, las mujeres. Todo lo damos. Esto lo atribuís a frivolidad. O algo peor. Los favores, apenas os los concedemos, ya les perdéis la estima, y ponéis punto final. Para nosotras no pasa el tiempo. No pasa, no. Se nos queda grabado en la piel. Cada disgusto, cada desengaño, es una arruga o una cana. La generala Semprún de hoy no es sombra de lo que fué la capitana Semprún, allá en Manila, ayer como quien dice. ¿Recuerdas? Yo, como si te tuviera delante, cuando eras nuestro asistente. Juanín o Guerrita; de los dos modos te llamábamos. Te acabo de preguntar si recuerdas. ¿No has de recordar? En otra como aquélla no has de volver a verte; ¡digo yo! De vida o muerte para ti fué el valimiento de mi marido, aquel bendito, que mucho te apreciaba. El objeto de las presentes líneas es que me quedé viuda va para seis años, con dos hijas mellizas, mayorcitas ya. Nacieron en Manila, me parece que a los siete u ocho meses después de tú haber salido de nuestra casa. Vivimos en gran estrechez. La indecente viudedad de generala apenas da para comer. La milicia es la Cenicienta, en este país donde todo el mundo está tumbado a la bartola, chupando del bote. Para eso fuimos defensores de la patria tantos años, luchando con los espantosos mosquitos y otros insectos de aquellas islas maldecidas, que nunca los podré olvidar; y a riesgo de que los tagalos nos agujereasen la pelleja.

Dios aprieta pero no ahoga. Me entero de que eres todo un señor capitalista. Tendrás la bondad de enviarme mil pesetas, en pago de lo que mi marido y yo hicimos por ti. Es deuda de honor. De momento, me basta aquella cantidad. Tu antigua señora y amiga,

Isabel.»

Tigre Juan no pudo por menos de gemir:

—¡La Apocalipsi!

Cada palabra de aquella carta había retumbado dentro de su cráneo como un trompetazo del Juicio Final, cuando los muertos se enderecen en dos pies. Más que palabras, eran seres vivos, o resucitados, que se desplegaban, como un regimiento disciplinado, ante Tigre Juan. Desmenuzó la carta, cuyos trozos, reducidos al tamaño de copos de nieve, arrojó lejos, como si quisiera aniquilar las imágenes descubiertas por la lectura, como al descorrer una cortina. Inútil intento. Todo había concluído para él. Sólo cuando algo está definitivamente concluso, su pasado revive y se hace actual, perenne e incorregible. Su propio pasado, que Tigre Juan suponía abolido, se restauraba íntegro, cuajado en una eternidad de infierno, al conjuro de la generala Semprún, sacerdotisa de Belcebú. «¡Pobre Tigre Juan! Acabóse de acabar. ¡Pobre Tigre Juan! Tornas a ser Juanín y Guerrita, el asistente.» Veía a la capitana, con sus grandes ojos pegajosos, su cara estucada, de yeso, su boca redonda, de vivísimo rojo, como sello de lacre, sus tenues vestiduras caseras, sus posturas voluptuosas, sus desvergonzadas insinuaciones de seducción. Ella misma iba a elegir, en la compañía, el soldado que deseaba para asistente, que luego duraba muy poco en la casa, porque la capitana, saturada de él, comenzaba a hallarle defectos, y traía otro nuevo para ensayar. De vuelta en la compañía, todos los soldados contaban historias picarescas de la capitana. En el cuartel le habían puesto de mote «la capitana Tragabatallones». El marido era un buen hombre, de muchos redaños y poco pesquis; tan irreductible e inconsciente frente al enemigo como inconsciente y rendido junto a su dulce enemiga. Había tomado mucho afecto por Juanín o Guerrita, cuando le tuvo de asistente; tanto, que por impedir que la capitana se desprendiese de él, como de los otros, resolvió casarlo con una muchacha joven y linda, Engracia de nombre, que era doncella en la casa. Juanín había nacido, y luego pasado su infancia y adolescencia, hasta salir quinto, en una aldehuela de las estribaciones de Traspeñas. Frente al comunismo amoroso que imperaba en aquellos recovecos de la serranía, sintió inquina y desprecio por la mujer rústica. Enamoradizo y sentimental, no concebía el amor sino como derecho viril de propiedad exclusiva. Quería creer que las mujeres educadas en villas y ciudades, las señoras singularmente, serían ejemplares perfectos de honestidad femenina. La capitana Semprún le había hecho perder por entero la fe en las mujeres. Y, sin embargo, se enamoró de Engracia, la doncella. Guardaba callado su amor, luchando, a costa de insomnios e inapetencia, contra él; cuando un día, el capitán le dijo: «Guerrita, hijo; en cosas de amor soy un lince. Nada hay que se me escape.» ¡Desdichado capitán! A pique anduvo Juanín de reírse; pero se puso en seguida muy serio, al oírle que proseguía: «Tienes ojeras, te afeitas a menudo, lustras tus botas más que las mías; de la cocina le han dicho a la señora que no

comes otra cosa que ensalada. Guerrita, estás enamorado. Y sé de quién, porque, sin darte tú cuenta, te he visto desconcertado delante de Engracia. Y digo más. Engracia no te ve de malos ojos. Con que... Asunto concluído. Os casáis prontito, que ni la señora ni yo queremos en nuestra casa amores que no estén consagrados ante el altar. Por lo tanto... ¡Armas al hombro! ¡De frente! ¡March!»
Aunque pereciéndose de amor por Engracia, Juanín no quería casarse, convencido de que, tarde o temprano, sería engañado, lo cual le haría enloquecer de dolor. Pero este juicio sobre la fragilidad femenina, absoluto y comprobado en aquella casa donde estaba sirviendo, no podía oponerlo, como razón concluyente para no casarse, al obcecado capitán, su amo. De seguro le hubiera replicado: «¿En qué te fundas? ¿No tienes ahí el ejemplo de la capitana, intachable matrona?» Claro que, de casado, Juanín no se dejaría engañar tan burdamente como el papanatas del capitán. ¡Eso sí que no! Ojos de gato tenía, en la cara y en el entendimiento, que ni con la claridad del sol se deslumbran ni con la obscuridad de la noche se embotan. Ello es que Juanín se dejó llevar al ara matrimonial como cordero al sacrificio. Adoraba a su esposa. Ella mostraba corresponderle con finezas tiernas y atenciones delicadas, que, por el instante, le aplanaban de felicidad. Felicidad amargada muy pronto por la pasión de los celos. Cuando, en cumplimiento de alguna diligencia, estaba fuera de casa, se consumía, cuidando si algún oficial faldero rondaría la calle a la hermosa Engracia, ya que, por murmuraciones cuartelarias, estaba al tanto de que no pocos de ellos gastaban lo más de sus estériles horas en asediar casadas de todas las castas y cla-

ses sociales. De vuelta en casa, clavaba los ojos en los de Engracia, como si pugnase por atravesarlos y calar hasta el subsuelo del alma, donde acaso germinaba alguna nueva simiente amorosa. Si algún día Engracia se hallaba decaída o de humor solitario, Juanín lo atribuía a motivo inconfesable o pecaminoso; algo que disimulaba, o algo que urdía, o que en el recuerdo de algo se deleitaba. Si, por ventura, y era lo frecuente, Engracia le rodeaba de mimos y halagos, entonces él se corroboraba en las sospechas, atribuyendo la conyugal efusión a fingimiento o remordimiento. Su carácter tímido y taciturno no le permitía expansionarse, desahogar. Iba agriándose en su corazón. El suplicio mudo se le hacía insufrible. Como el condenado en capilla ansía la muerte de una vez, en lugar de la muerte desmenuzada en minutos inacabables, así Juanín, antes que continuar con el pecho como despedazado por el martirio de la incertidumbre, casi llegaba a preferir una prueba evidente de que Engracia le traicionaba. En la medida que Juanín se volvía arisco y desapacible, Engracia parecía cobrarle mayor afición y le tenía más ley. Era andaluza, de gentil figura, cenceña, armonioso el porte, rostro árabe, de fino óvalo, suave piel de cera y ojos de aceituna. Al igual de las mujeres de Oriente, reconocía la cualidad masculina por excelencia en el imperio celoso y rudo. Desde niña, y en la masa de la carne, tenía inculcado el sentimiento de que el amor es una pasión sanguinaria. Presentía que Juanín, en el mal trance, sabría no titubear ante el derramamiento de sangre por amor. Esto la transía de orgullo. De la mañana a la noche cantaba, con voz aterciopelada y dolorida, coplas flamencas — soleares, peteneras, saetas y esas canciones tan tristes que llaman «alegrías» —, en las cuales siempre se celebraba el crimen por celos y el fatal ayuntamiento de amor y muerte. Con tales ingredientes de afinidad patética, se estaba fraguando la elegía roja, el drama. Las noches que el capitán Semprún pasaba de guardia en el cuarto de banderas, acostumbraba llevar consigo a Juanín, para recados, si fuese preciso. La calentura de los celos y el desorden de la imaginación afligían a Juanín singularmente aquellas noches, en que su ausencia del tálamo era prevista y obligada, a propósito para tentar a la infidelidad confiada, impune. Una de estas noches, cerca ya de madrugada, el capitán se indispuso de salud y hubo de volver a su casa. Envió por delante a Guerrita, que preparase a la capitana, la cual era muy asustadiza y propensa a soponcios, y le diese seguridad de que lo de su marido no era nada importante. Llamó Juanín a la puerta. Tardaron mucho en contestar. Por fin, se asomó Filimona, una india vieja que servía de cocinera en la familia. Se retiró apresurada, después de oír a Juanín. Al cabo de un tiempo no muy corto, asomó la señora, alarmadísima, en efecto, haciendo aspavientos. «¡Corre, Guerrita, corre! — dijo —, al encuentro de tu señor. Que no se mueva del cuarto de banderas. Que me lo traigan en una camilla o en una silla, despacito, no sea que se agite y se me ponga peor. ¡Ay, Dios! Hasta que no le vea aquí, sano y salvo, estaré como en parrilla.» «El señorito viene por su pie y está para llegar», respondió el asistente. La señora dió un chillido y desapareció de la ventana. Llegó Semprún cuando aun no habían abierto la puerta. Su propia esposa bajó a recibirle. Le palpaba de arriba abajo, cerciorándose de su presencia e integridad. «No hagas esfuerzos. No te muevas de aquí. Estate quieto, hasta que reposes. Apóyate en Guerrita y en mí. Guerrita, ayuda a tu señor. No te apartes de él.» Semprún se opuso a estas precauciones excesivas. Juanín, disparado por un presentimiento, se escabulló. Filimona, la india vieja, corrió tras él. En un pasillo le sujetó por el faldón de la guerrera: «¿Aónde va, niño?». Juanín se la sacudió y siguió velozmente hasta sus aposentos, que estaban en un pabelloncito, adosado a la parte trasera de la casa de los amos. Entró. La claridad del amanecer se derramaba a través de las persianas de junco verde. Engracia estaba sentada en el petate, con una manta cubriéndole hasta la cintura, las manos cruzadas sobre el seno, tapando el descote de la camisa; la faz, lívida; los ojos, angustiados. Un hombre en mangas de camisa, con pantalón grana y una prenda de vestir al brazo, saltaba desde el ventanal al jardincillo. Juanín no le pudo alcanzar, pero lo reconoció. Era el petulante teniente Rebolledo, el de mostacho a la borgoñona. Juanín, de un brinco, se abalanzó sobre Engracia. Le echó las manos al cuello, para estrangularla. La derribó sobre el petate, a la vez que le hundía una rodilla en el pecho. Engracia, mirándole con una expresión por raro modo feliz a la par que desolada, pudo articular con delgado soplo: «Harías bien. Pero soy inocente.» Ya se le volvía morado el rostro; los ojos le salían de las órbitas; se le escapaba la vida. Juanín seguía apretando. En esto, llegó Filimona, que, con sus alaridos, desgarró el silencio y desató a la víctima de las manos del verdugo. Juanín cayó de hinojos junto al cuerpo de su mujer. Estaba como insensato. La india, agazapada, inclinándose hacia él, presentándole las uñas crecidas y puntiagudas, le infamaba e imprecaba: «¡Bárbaro! Era inocente. No merecías tú, chacal negro, ese botón de aurora, rosita de perfume.» Acudieron los señores. A la capitana le acometió un ataque de nervios, con gritos y contorsiones atroces. Cundió la alarma por la barriada. Llevaron a Juanín a un calabozo de prisiones militares. Iba como idiota. Así permaneció en tanto duró su prisión y proceso. Engracia estuvo una semana enferma de gravedad; luego sanó. La opinión se puso del lado de Juanín, que había sorprendido a su mujer en adulterio flagrante, dentro de la propia alcoba conyugal. La capitana y la india vieja excusaban la ofuscación y arrebato de Juanín, pero sostenían con fuego y juraban que Engracia era inocente y que el hombre escondido en su alcoba debía de ser un ladrón. Engracia, después de curada, comenzó a adolecer de tristeza, de pasión de ánimo. Día tras día, ahilaba y decaía. Proclamaba su inocencia, pero añadía que no podía probarla, porque tenía la lengua anudada por un juramento. Justificaba a Juanín y sostenía que, de haberla matado de veras, era su derecho y su deber, ya que las apariencias la condenaban; y, puesto que nunca podría demostrarle su inocencia, se resignaba a no juntarse más con él y a morirse de pena. El capitán Semprún visitaba a menudo a Juanín en el calabozo, a darle esperanzas de absolución, por la cual trabajaba de continuo, y a persuadirle de la inocencia de Engracia. Juanín sólo aguardaba a salir absuelto para matar al teniente Rebolledo, y luego, que le fusilasen. Salió absuelto. Pero ya el teniente Rebolledo había muerto de unas fiebres malignas en la provincia de Mindanao, adonde había pedido su traslado. Tampoco Engracia tardó en abandonar esta vida. Era una de esas mujeres, de raza morena y ardorosa, que cuando aman se abrasan como un grano de incienso. Juanín volvió licenciado a la Península. Luego de vender los escasos bienes que en la aldea había heredado de sus padres, estableció un puesto en la Plaza del Mercado de Pilares. La invariable y nítida visión interior de la justicia («¡Justicia! Crimen, no. ¡Justicia!») que había ejecutado en la miserable Engracia le hacía insoportable la vida. Paulatinamente, el polvillo gris de innumerables horas monótonas fué posando sobre las imágenes del recuerdo, y borrando su contorno. El advenimiento casi milagroso de Colás, por último, desvió la orientación del espíritu de Tigre Juan desde el pasado hacia el porvenir. De espaldas al pasado, ignorándolo obtusamente e ignorando asimismo esta ciega voluntad de ignorancia, Tigre Juan llegó a persuadirse, al cabo de algunos años, de que el pasado no es una forma del presente, sino una quimera que, en disipándose, es ya imposible de restaurar. Y he aquí que, de pronto, como si el destino, asiéndole por los hombros, le obligase bruscamente a girar sobre los talones, se hallaba cara a cara con su pasado redivivo, incólume. Por eso, con voz aflictiva, había sollozado: «¡La Apocalipsi!» Era, para él, como el derrumbamiento y catástrofe de un mundo falso, perecedero, mundo de apariencias vanas, por él mismo fabricado, en el cual vivía adormido, trasvolado en un duermevela, tomando por realidades tangibles los sueños, de inmaterial urdimbre. Era ahora el instante de la resurrección de la carne, de su carne de mocedad, apasionada, dolorosa, ciega. Y así como en el día del Juicio Final, en la gran zarabanda postrera de la vida y danza universal de la muerte, lo grotesco se abrazará con lo horrible, así también Tigre Juan, ante tantas memorias, ahora actuales, que le espantaban, fijó acaso la atención en un pormenor bufonesco. La capitana Semprún, con la bata entreabierta, camisa violeta y medias de pintas, como tantas otras veces se le había presentado, en guisa de mujer de Putifar, le decía: «Mis dos hijas mellizas nacieron a los siete u ocho meses después de tú haber salido de nuestra casa.» Y luego hacía un gesto obsceno, como dando a entender que las niñas eran hijas de Tigre Juan, el cual replicaba entre sí: «Serán hijas del regimiento. ¡Habráse visto tía vulpeja!... Si sabré yo...» No siguió pensando en ello, porque se le antepuso, en el campo de la imaginaria contemplación, otro trozo de realidad trágica. Sentíase de nuevo estrangulando a Engracia, a quien idolatraba; hundiéndole con deleite las manos en el cuello, dócil y suave, como si amasase el pan de un sacrificio; clavándole la rodilla en el pecho, entre los dos lindos senos. Veía su rostro ovalado, de cera, más pálido por la luz del alba y el ansia de la muerte; sus verdes ojos fuera de las órbitas. Oía su estertor. Escuchaba cómo con levísimo acento por raro modo feliz, a la par que desolado, suspiraba: «Harías bien, pero soy inocente.» Tigre Juan ahogó un bramido, que se exhalaba de lo más profundo de sus entrañas, recién agrietadas, como una roca por la acción del rayo. Porque había visto más todavía. Acababa de ver, por vez primera, después de más de veinte años. Fué el resplandor anonadante de la verdad. ¡Engracia era inocente! ¡Engracia era inocente! Con quien el teniente Rebolledo pasaba la noche era con la capitana Semprún. La capitana había escondido a su amigo en la habitación de Engracia. «¡Condenado estoy! ¡Venga la expiación! ¡Ojos malditos de Dios! Con las gafas del diablo mirasteis. Ojos míos excomulgados, que no acertasteis a ver cuando era hora. Habré de quebraros con mis garras, ahora mismo, antes que rompáis a llorar cobardes, como si las lágrimas resucitasen muertos. Así.» No podía contener las lágrimas agolpadas a los ojos, los cuales mantenía cerrados reciamente. Un impulso irresistible le obligaba a quebrarse los ojos a uñaradas. Ya levantaba las manos hacia ellos... cuando otras manos, frías y débiles, le tomaron las suyas. Tigre Juan abrió los ojos. Desde que había leído la carta de la generala hasta este momento había transcurrido insensiblemente la tarde. Era ya anochecido. Tigre Juan tenía ante sí el blanco rostro de doña Iluminada.

—¿Qué le sucede, camarada? —dijo la de Góngora, con maternal acento—. En toda la tarde, desde que recibió las cartas, no hago otra cosa que examinarle. Debían de contener hechizos, porque se me desvaneció usté como en sueños. Y venía a despertarle. ¡Acuerde, hombre, acuerde en sí! Bueno es soñar, a falta de vivir a gusto, pero vivir es mejor que soñar.

Tigre Juan derribó la cabeza en las manos de la viuda y se las besó, sollozando. Doña Iluminada, con voz temblorosa, prosiguió:

—¿Qué tontería es ésta? Muy mal le conozco, don Juan, si no es que le llegaron buenas nuevas de Colás, y el contento le tiene de tal modo trastornado; que así hacen llorar las alegrías como las penas. ¿Acerté?

Tigre Juan continuaba sollozando, con la sien apoyada en las manos frías de la viuda.

—Ni a hablar atina. Como chiquillo se comporta. Por chiquillo siempre le tuve, y lo que yo digo... ¡Ea! Levante el puesto, que ya están de parranda murciélagos y gatos. Vaya a casa. Coma y beba, que no es cuerpo santo. Recréese a solas en el pensamiento de Colás, hasta serenarse del todo. Duerma a pierna suelta, y mañana será otro día. ¡Suelte las manos, hombre! ¡Arriba y andando!

Tigre Juan obedeció pasivamente. Cuando se marchaba, la viuda le despidió con unas palmaditas cariñosas en los lomos, diciéndole:

—A mal traer le trae el mozo Colás. ¡Y lo que te rondaré, morena! ¡Ánimo, camarada!

Tigre Juan volvió a su casa, encendió la candileja, se sentó y se echó de bruces sobre la mesa. Se agarraba al pensamiento de Colás como el penitente a las disciplinas. «¿Habrá salvación para mí? Lo que me resta de vivir, y la vida del más allá, después de muerto, ¿será de infierno o de purgatorio? Una vez ya Colás me redimió, por el olvido. No quiero olvido ahora, sino expiación. ¡Colás, Colás; alas de águila, corazón de paloma, que por desamor de mujer, antes que lastimarla, volaste, herido, adonde nadie te viera ni compadeciera! Más me duele esta lección que me has dado, sin tú pretenderlo, que la quemadura de mi tardío arrepentimiento. Has de saber quién es este tigre, a quien creías hombre digno y honrado; has de saberlo de mi boca, en confesión. Me despreciarás. Me insultarás. ¡Ojalá me levantes la mano! Sufriré gozoso; Dios me lo tome en cuenta, como pago de mi crimen. De rodillas estaré delante de ti, hasta que me absuelvas. Entonces habrá para mí alguna esperanza de que Dios y Engracia, desde el cielo, me perdonen.»

Dieron porrazos a la puerta, con insistencia. Tigre Juan salió de su abstracción. Presentóse el clérigo don Sincerato Gamborena, riendo, más que hablando, con su risa hueca, monotónica, estrepitosa, como redoble de tambor. Era muy bajo de estatura, casi enano; estaba en los puros huesos. Su cabeza era descarnada, manifiesto el cráneo bajo la piel a él adherida, que era charolada y precisamente de color de hueso. Vestía de seglar: levita de alpaca, deshilazada, raída en los codos, zurcida y remendada por el mismo don Sincerato; pantalones angostos como funda de paraguas, que no descendían siquiera hasta las botas, de elásticos, y éstos muy fláccidos, dejando entre medio una rodaja de peluda canilla; chisterón disforme, calvo y pardusco, a causa de la senectud. Parecía un frasquito de tinta con corcho de botella de litro. Dijo a Tigre Juan que venía a buscarle para ir juntos a la tertulia de doña Marica, donde se le echaba de menos. Lo dijo a su manera peculiarísima, en sentencias elípticas y desligadas. Era fundador, director y sostenedor, con los únicos y escasísimos medios que le proporcionaba su personal hacienda, de un Asilo de Sordomudos y Ciegos, en cuyo trato constante se había acostumbrado a hablar por epígrafes. Entre frase y frase, que por cierto no pretendían ser ingeniosas, metía un redoble de hilaridad, o bien un repique de tos, tan hueca y seguida como su risa. Diferenciábase la risa, risa de calavera, de la tos, tos macabra, por el trazo que describía la cavidad de la boca, que en la tos era como carátula de tragedia y en la risa como máscara de farsa.

Tigre Juan se dejó llevar por Gamborena. Al verles entrar, doña Marica lanzó joviales gorjeos de bienvenida, meneando en el aire, a modo de aleteo, un gran abanico desplegado, de los llamados pericones. Esta señora tenía mondo, sin una sola hebra, el cuero cabelludo. Pintábase todas las mañanas el cráneo con un corcho quemado, de suerte que fingiese una cabellera partida en dos bandas; la raya central la sacaba raspando con una aguja de hacer calceta. Boca sin labios, exigua, fruncida, de ojal. Ojillos de ratón. Toda se volvía dengues, ronces y melindres. Así como Gamborena celebraba cuanto él mismo decía, por su parte doña Marica barruntaba apicarada intención en todo lo que oía a los demás. Con el abanico golpeaba al interlocutor en el hombro, o en la mejilla, coquetamente, a pesar de sus setenta años corridos. Sin cesar sacaba golosinas de la faltriquera, que deglutía con sus encías desdentadas, como si mamase.

Herminia, desde un rincón de sombra, saludó la entrada de Tigre Juan con un «Buenas noches» cantarín, levantándose un tanto de la silla, en un esbozo de reverencia, pero sin alzar la cabeza de la costura. Herminia sentía invencible miedo de Tigre Juan. No se atrevía a mirarle a la cara. Mientras él permanecía de tertulia, ella se resguardaba en la obscuridad, casi de espaldas a la mesa de juego, haciendo labor de calceta, para lo cual decía que no necesitaba luz.

La vieja, el cura y Tigre Juan reanudaron la partida de tute. Tigre Juan, viendo, o adivinando más bien, el bulto retirado y misterioso de Herminia, cuya cara de todo punto se le ocultaba, cara que aun desconocía, por no haber parado jamás atención en ella, se alivió de las congojas recientes y volvió a ser gobernado por las emociones de los anteriores días: curiosidad, miedo, odio, deseo de venganza hacia la mujer que despreciaba a Colás. «Vamos a ver, vamos a ver, señorita. Has desoído la amorosa queja de un galán como no hay otro. Quizá esperas, para que te despose, al príncipe Pentapolín, del arremangado brazo. Tampoco toleras vivir en mi compañía. Pues ¿qué? ¿Soy bestia inmunda? ¿Hiedo? ¡Presuntuosa, frívola! ¿Cuál es tu prosapia? Tu padre, un valenciano, vendedor ambulante, que llevaba tienda a la espalda, como camello o caracol. Y con sus puntas y ribetes de ladrón, a lo que se murmuraba; que no se te olvide. Tu madre... Familia de tenderos de tres al cuarto. Tramposos todos, de padres a hijos. Llévanlo en la sangre. Más quiebras hay en tu gente que conchas en esclavina de peregrino. ¿Entonces? Dispensa, preciosidad. Se me pasaba que tu apellido, por parte de padre, es Buenrostro. Herminia Buenrostro; vamos a ver si es verdad tanta belleza y qué rostro pones a la desgracia que te amenaza. ¡Valiente cosa las caras lindas! Hermosura, poco dura. Por una cara linda piérdese un hombre, como yo soy perdido, ¡ay, Dios! Pero juro que tú me las has de pagar.»

—¡Cuajo, guanajo, cáscara de ajo! — chilló el clérigo, que manejaba surtido repertorio de exclamaciones por aliteración y consonancia —. Coria, Babia, Batuecas; allí se está Tigre Juan. Con as en mano no arrastra. Las cuarenta, doña Marica. Dos perronas perdidas en tonto. ¡Ejem! ¡Ejem! ¡Ejem! Tigre Juan, mientes ausentes. ¡Ja! ¡Ja! ¡Ja! ¡Ayerta, tuerta, detrás de la puerta! Gamborena, presente. Oros, veinte. Perra gorda. *Sursum corda.* ¡Ejem! ¡Ejem! ¡Ja! ¡Ja!...

—Alma de cántaro o alma de Dios, que tanto monta, es este bendito don Juan. No canté las cuarenta porque él se hubiese distraído; dejómelas cantar por galantería. Y usted, pícaro cura, aturdióle y aturdióme para hacer sus veinte. Aprenda de este santo varón. ¡Señor, qué curita descortés! Dios se lo pague, señor don Juan — dijo la vieja, en un trémolo agudo de chirimía. Alargó el ala del abanico para acariciar la frente de Tigre Juan, de modo que le tapaba los ojos, y al mismo tiempo le sustrajo, ágilmente, dos reales en plata de los fondos que ante sí tenía.

—¡A ella! ¡A ella! ¡Ja! ¡Ja! ¡Ja! Doña Urraca saca, saca. Mico, mico. Doña Urraca hurto en el pico. Espera, espera; doña Urraca la ratera. ¡Arqueo, Tigre Juan, arqueo! ¡Ejem! ¡Ejem! Dos realinos *volaverunt.* ¡Ja! ¡Ja! — Gamborena elevaba los brazos y brincaba sobre el asiento, con infantil regocijo.

—¡Ánimas del purgatorio! Hazme reír, sin ganas. ¡Ji! ¡Ji! ¡Ji! —Doña Marica se santiguaba con el abanico cerrado, y profería una risita de falsete—. ¡Qué bromas, en un sacerdote! Este don Sincerato tiene los demonios en el cuerpo. ¡Ji! ¡Ji! ¡Ji! Gracias que don Juan no le hace caso. Ríome de todos modos. ¡Ji! ¡Ji! ¡Ji!

—Dos indinos realinos, birlados, añascados, a pesar de los pesares. Testigos oculares. ¡Ja! ¡Ja! ¡Ja! Testigos oculares. ¡Ejem! ¡Ejem! ¡Ejem! — gritaba el descarnado Gamborena, sin respiro ya, y, luego de abandonar los naipes sobre el tapete, estiraba, con entrambos dedos índices, los párpados inferiores, hasta enseñar el revés clorótico, pajizo.

A Tigre Juan, con los sentidos anublados y la imaginación enrarecida por la serie de violentos choques emocionales que le traían zarandeado como bola de cascabel, le empezó a entrar la duda de si aquel sitio donde se hallaba y aquellas dos personas a uno y otro lado suyo existían de veras o eran acaso una alucinación. Desde luego, así Gamborena como doña Marica se le ofrecían bajo una óptica novísima y extraña, como si él y ellos estuvieran en el limbo, o en el valle de Josafat. Eran dos esqueletos, vestidos de máscara, que bailaban por resorte y emitían una risa artificial y rechinante. De súbito, la vida humana se le antojó a Tigre Juan tan triste y absurda que, contaminado de la algazara estrepitosa de sus contrincantes de tute, se volcó en una carcajada gigantesca, de metálico retumbo. Aplicaba todas sus fuerzas en reír más y más. Esto le causaba un placer de entusiasmo, casi de embriaguez, esparciendo fuera de sí la inconsciente exasperación con que rebosaba, como de mozo, al servicio del rey, por derrochar un *superávit* de energía, hacía flamear una bandera o tañía una corneta de cobre, hasta agotar los pulmones y congestionarse. Oyendo a Tigre Juan, doña Marica y Gamborena arreciaron a reír en un principio. Doña Marica se sofocaba ya. Pero, luego se sobrecogieron con aquella risa frenética y sospechosa. Herminia abandonó la labor y escondió la cara en las manos. Tigre Juan, que vió el susto de Herminia, cesó en seco de reír. Doña Marica, al sacar de la faltriquera un gran pañuelo de yerbas, a fin de enjugarse el sudor, derramó por el suelo un cartucho de caramelos, que rodaron rebotando.

Don Sincerato se tiró al punto a cuatro patas, para recolectar los caramelos.

—Por la Virgen Santísima, don Sincerato... Un ministro del Señor revolcándose por tierra... Niña: acércate y recoge esas menudencias.

Herminia no se movió. Doña Marica añadió ásperamente:

—Niña: ¿estás pasmada? Acércate, digo. Toma el quinqué y busca eso que se me cayó. Si no chupo algo se me seca la gorguera.

Herminia llegó, lenta y temblorosa, desde la zona negra e impenetrable, como desde el más allá, hasta la penumbra flúida y verdemar que la lámpara efundía. Se le iluminó de claridad dorada toda la cabeza. Tigre Juan la contemplaba con ojos de desvarío: produjo un ronquido y se desplomó exánime. Lo que Tigre Juan había visto o había creído ver, era que en el rostro de Herminia se reproducía el rostro de Engracia: el mismo fino óvalo, la misma suave piel de cera, los mismos ojos de aceituna, opacos. Era Engracia en persona.

Herminia abandonó la lámpara en la mesa y volvió a sumergirse de huída dentro de la obscuridad, con un grito.

Al volver Tigre Juan en sí, doña Marica, que le daba aire con el abanico, exclamó:

—¡Bendito Jesús! Creímos que era muerto. La lengua se me había entumecido del susto.

—Muerto soy... ¿Y Engracia? —balbució Tigre Juan, girando las empañadas pupilas alrededor.

—¿Qué Engracia? Usté delira, santo varón.

Tigre Juan tardó en responder, con torpe palabra:

—Sí; deliraba... Contrariedades..., debilidad de estómago... Ya pasó. Voyme a casa. Buenas noches.

El clérigo acompañó a Tigre Juan hasta dejarlo en casa. Tigre Juan iba murmurando para sí:

—¡La Apocalipsi! ¡La resurrección de la carne!

P R E S T O

Quizás Herminia era retrato redivivo y reencarnación de Engracia. Quizás entre las dos no mediaba sino cierta analogía superficial de rasgos, en lo ovalado del rostro, lo moreno de la piel y lo verdioscuro de las pupilas. Tal vez el lejano recuerdo de Engracia, recientemente reconstituído por Tigre Juan, no era ya imagen auténtica sino más bien figura genérica en la cual pudiera coincidir e inscribirse cualquiera mujer joven, trigueña, agraciada y con ojos de oliva. En el estado de semialucinación en que Tigre Juan se hallaba, no le era hacedero acomodar los sentidos a la realidad de fuera; antes, por el contrario, deformaba y transformaba los datos del mundo externo a fin de incorporarlos al espejismo de su visión interior. La imagen de Engracia andaba flotando vagarosamente dentro de él, como espíritu descarnado, en busca de alojamiento corpóreo, el cual se lo proporcionó la aparición luminosa de Herminia. Es lo probable, acaso lo inevitable, que en aquella disposición de su sensibilidad, fuese quien fuese la primera mujer joven y bonita que por ventura hubiera surgido ante él, Tigre Juan la habría confundido e identificado con Engracia. Y esta mujer quiso la casualidad que fuese precisamente Herminia. Ello es que Tigre Juan, desde que cayó privado por la emoción que Herminia le causó, hasta el momento de recobrarse, quedó cambiado en otro hombre distinto. Como vasija que vierten de golpe y al punto la llenan con sustancia diferente, que ahora le rebosa y rezuma, así Tigre Juan, durante la breve ausencia de sí, quedó suplantado en su ser interior e inconsciente por otro ser ajeno: el de Herminia. Y ya de allí adelante no fué él en sí mismo, sino que Herminia fué del todo en él. Tigre Juan no podía advertir, ni menos reconocer, esta repentina mutación, porque de su personalidad inmediatamente anterior nada permanecía invariable, de suerte que le pudiera servir como contraste y punto de referencia. Aunque comenzaba otro modo de vida, en otro modo de universo, no se daba cuenta todavía. Así, cuando de vuelta a su casa iba murmurando, más bien por automatismo y rebote de la memoria oral que con intención de exteriorizar su estado de ánimo: «¡La Apocalipsi! ¡La resurrección de la carne!», estas exclamaciones habían adquirido para él un poder de sugestión diferente del que poco antes tenían. No expresaban ya el horror de un cataclismo final, sino una manera de dichoso embobamiento, como ante una apoteosis escénica de gran aparato y tramoya. En el punto de desmayarse, había visto el recuerdo de Engracia sobrepuesto a la persona de Herminia. Vuelto en sí, había de ver en lo sucesivo la figuración ideal de Herminia sobreponiéndose al recuerdo de Engracia, estrangulándolo, nutriéndose de él, agotándolo y secándolo como la hiedra en torno del árbol. Estaba, pues, enamorado de Herminia, y creía odiarla, como antes la había odiado, porque desdeñaba a su Colás. Pero el odio de ahora era encubrimiento instintivo de un oscuro goce que, a ser consciente, le hubiera avergonzado.

Para él, creer que continuaba odiando a Herminia, equivalía, en una inversión sofística del sentimiento, a gozarse en la certidumbre de que Herminia había rechazado a distancia a otro pretendiente, y como éste era Colás, casi su hijo, necesitaba mantener aquel falso odio por no dejar de deleitarse en la certidumbre de su fundamento. Al escribir ahora a Colás, Tigre Juan estaba convencido, con la mejor buena fe, de que cuanto le decía iba de propósito enderezado a la felicidad del mozo, cuando, en puridad, lo que hacía era trasponer en consejos y advertimientos paternales las ansias latentes e insospechadas de su corazón. «Esa mujer merece tu desprecio. Debes olvidarla.», le decía en una carta. Y en la siguiente: «Mirándolo bien, esa mujer no es como todas, pues sabiendo que tú serás mi único heredero no se dejó, sin embargo, tentar por la codicia. Si no te correspondió, fué, sin duda, porque comprendió que jamás te podría querer. Procedió con nobleza. No debes afligirte demasiado, ni pensar mal de ella. Respeta su decisión y olvídala.» Le decía en otra carta: «¿No se te ocurrió, antes de levantar el campo, enterarte de si acaso salías vencido por un rival? ¿Daba cara a otro hombre esa mujer? Debiste buscarle y disputársela de hombre a hombre. Dime la verdad. Si hay, como temo, un rival afortunado, te respondo, Colás mío, que yo me las entenderé con él. Tú olvida, ya que ha pasado para siempre la oportunidad, en lo que a ti toca; y deja el negocio de mi cuenta.» En la próxima: «Cuanto más lo medito, más me confirmo en que todo ha ocurrido para bien, como me dijo la sabidora de doña Iluminada, que te envía cariñosos saludos (sabrás que ha recogido a Carmina, la huérfana de Carmona), y más me asusto de pensar, si esa mujer te hiciese caso, el gran disparate que hubiera sido casarte. Tenéis casi la misma edad; tú, más joven de un año que ella. Ahora, calcula. Dentro de veinticinco años, un soplo, Colás, un soplo, esa mujer podría ser tu madre. Ya me entiendes; quiero decir que tú serás tan mozo como ahora, pues con cuarenta y cinco años un hombre sigue siendo un chiquillo, y ella será una señora respetable. ¿No habías parado en ello? Hasta me inclino a barruntar que Herminia ha discurrido a este mismo tenor, considerando, pues parece discreta, que conviene mejor a su edad y circunstancias un hombre ya hecho. Píntala en el pensamiento como madre, y te curarás de ese amor loco. No la veas como mujer; antes que eso, olvídala.» Todo esto lo escribía Tigre Juan ingenuamente, ignorante todavía del ciego amor que se lo dictaba, y muy orgulloso de su dialéctica afectiva, que a él se le antojaba simplicísima e incontrovertible. El estribillo, como corolario de un teorema pasional ya suficientemente demostrado, era siempre: «Olvida a esa mujer.» Colás respondió: «No sé si podré.» Tigre Juan, desconcertado al pronto, y luego malhumorado, replicó sentenciosamente, con algunas infalibles recetas: «Querer es poder. Pasárame a mí lo que a ti, y ya veríamos si yo podía lo que quisiera. No ha mucho, algo tuve que olvidar, algo que iba a matarme. Tan por entero lo olvidé, que no sabría decirte ya de qué se trataba. Sólo me queda un resentimiento borroso del dolor pasado, como agujetas los siguientes días de una larga jornada a caballo. Esto que acabo de decirte no es cosa al respetive de nuestra última conversación, la cual, tocante a mí, poco tiene que olvidar, pues como estaba fuera de seso no sabía lo que hablaba, y así lo comprenderías tú. No sé las bobadas y atrocidades que dije aquella noche; pero prescindiendo de ella, y pelillos a la mar, acuérdome que en sustancia tenía yo razón y a mi razón me atengo todavía muy seriamente. Dígote como entonces: escucha: si no olvidas a esa mujer, concluirás por enemistarme de veras contigo.» Colás ya no aludió más a este asunto. Tigre Juan sosegó por aquella parte.

La primera en echar de ver que Tigre Juan andaba dulcemente lastimado de mal de amores fué la perspicua doña Iluminada, que a la natural perspicacia añadía la experiencia de muchos años de amor sellado y sin esperanza. A doña Iluminada le bastó observar una sonrisa especialísima de arrobo, enteramente inédita y perfectamente incompatible con el cráneo inquisitorial y la faz mogólica de Tigre Juan, para convencerse de que estaba enamorado como un mozalbete apenas salido del cascarón. Con mano distraída se atusaba a veces los luengos bigotes, negros como betún, imprimiendo a las guías una orientación cenital, a lo mosquetero. Doña Iluminada, aunque le lacerase el pecho contemplar así a quien tanto amaba, no podía menos de reírse por dentro. Pensaba: «Te voy a ver todavía, Juan, peinado de raya y con bastón, como currutaco. Había de ser. Bien te lo anuncié. Ya estás cogido en la trampa. Tu sonrisa de inocente endiosamiento dos cosas puede denunciar: o que amas y eres correspondido, o que estás enamorado sin saberlo. Más verdad me parece lo segundo. ¿Quién es la dama? ¿Dónde has dado con ella? Tú de ahí no te mueves en todo el día. En casa de doña Mariquita, donde vas de tertulia por la noche, no hay mozas, si no es Herminia, tormento de Colás. Doy vueltas en mi cabeza inútilmente. Pero que tú no eres tú y estás hechizado, basta con mirarte. ¿Será una señora campesina? De mañanita sales a la aldea, a cosechar yerbas medicinales. ¿Te habrán dado a ti las yerbas, en bebedizo, que de tal suerte estás embebecido?»

Otros síntomas presentaba Tigre Juan que corroboraban la presunción de la de Góngora. Uno de ellos, la manera de mirar y tratar a Carmina. La viuda solía enviar la niña al puesto de Tigre Juan a que le hiciese compañía y de paso tomase aire y sol. Tigre Juan se conducía ante la mozuela con una cortesanía exagerada, bastante cómica y tan impropia de su carácter como inadecuada a la edad de Carmina. Doña Iluminada, sagazmente, suponía que tanta gentileza y rendimiento no iban dedicados a la niña, por ella misma, sino en cuanto símbolo visible y próximo, bien de la mujer en general, bien de una sola mujer. Carmina, para Tigre Juan, era sólo el eco de una melodía lejana. «Tigre Juan se inclina ante Carmina — pensaba doña Iluminada — como ante el ojo de una cerradura; para ver a través de él algo que los demás no vemos. Hay gato encerrado. Ya saldrá.» El otro síntoma se refería a que, siendo anteriormente Tigre Juan parsimonioso, ya que no avariento, ahora se había vuelto liberal. Todos los días agasajaba a Carmina con algún dinero para gollerías, y hasta le compró zapatos de lujo y una cadena con una medallita, de plata. Otras generosidades no eran conocidas de la viuda. A Colás le enviaba alguna cantidad, para sus gastos, en cada carta. Habiendo recibido una segunda epístola de la generala Semprún, en la cual esta heroína «abandonada por la patria desagradecida y con el dogal de la pobreza al cuello» (como ella escribía), rebajaba la cuota de su postulación de mil a quinientas pesetas, Tigre Juan se alargó hasta mandarle la rara cifra de treinta y dos duros y medio; incautamente, sin reflexionar que asentaba un precedente funesto, preñado de inacabables consecuencias. Después de esta primera remesa, hubo de hacer otras; siempre de escasa monta, eso sí. Hasta que cortó en seco, a causa de cierta noticia epistolar que desde Madrid le dió su querido amigo, cada vez más querido, Vespasiano, con quien se correspondía a menudo. Las cartas de Vespasiano eran como las tiradas de Don Juan: narración alardosa de sus desmanes amatorios. En una de las cartas, le contaba incidentalmente a Tigre Juan haber conocido a una generala Semprún, que comerciaba con los encantos de sus dos hijas, Chichí y Chochó, las cuales, como parecían chinas y estaban muy flacas, tenían poca oferta lucrativa; de manera que, siendo tan viciosas como la madre, habían concluído en cortesanas gratuitas; y cerraba Vespasiano la carta con un chistoso lamento atribuído a la generala, sobre la delgadez de sus hijas: «Las pobres, como no hacen otra cosa que practicar el amor y tomar helados...» Tigre Juan, con una basca moral, glosó en su pensamiento: «¡Madre desnaturalizada! ¡Aborto de la naturaleza! Para mí has dejado de existir. ¡Ah, mujeres, mujeres! No sois criaturas de Dios; soislo del Enemigo Malo. Un ángel exterminador, emisario del cielo, habíamos de menester, que os pasase a todas a cuchillo. ¡Bribonas! Pero, a falta del ángel, que sería mucho pedir, satisfágome con un Don Juan, de cuando en cuando, como Vespasiano, que os saca de quicio, para luego vengarnos apabullándoos y arrancándoos el antifaz, por donde en vuestra frente se lee: rameras. ¡Ay, Vespasiano, amigo envidiado; nunca tanto te eché de menos!» Tigre Juan quería decir: «nunca tanto eché de menos ser como tú». Ser, como a Tigre Juan se le figuraba que Vespasiano era: irresistible. Tigre Juan, al pensar de continuo en Herminia, desplazaba, transfiguraba y simbolizaba inconscientemente sus pensamientos. Creyendo pensar, ahora más que nunca en Vespasiano, lo que transponía a su conciencia era el ansia, ciega todavía, de conquistar el amor de Herminia.

El clérigo Gamborena se personaba todas las noches en casa de Tigre Juan, a interesarse por su salud, en nombre de doña Mariquita, y le exhortaba a que saliese de su retraimiento y fuese con él a jugar al tute y despejarse de preocupaciones. Tigre Juan se excusaba, alegando no hallarse aún del todo bien.

Platicando aquellos días abuela y nieta, Herminia se clareó por vez primera en lo referente al cortejo de Colás, de lo cual la vieja nada había podido atisbar; y terminó la niña apuntando que acaso Tigre Juan estaba al tanto del incidente, y que, ofendido, no quería poner más los pies en aquella casa.

Como armario lleno de loza que viene a tierra, con no menor escándalo se produjeron la decepción e irritación subitáneas de doña Mariquita. Gesticulando con todos sus miembros, cual si estuviera hecha añicos, vociferó:

—¿Ahora quieres que me desayune, necia? ¡A

buena hora! ¿Vienes a decirme que el décimo del gordo era nuestro y tú, por no serte simpático el número, lo arrojaste a la basura? Debiera arañarte y arrancarte el moño. No sé cómo me contengo. ¡Nos has traído la desgracia, rapaza entontecida! Nuestro porvenir cuelga de la mano de Tigre Juan. ¿Quién arreglará lo que tú echaste a perder? ¿Tú qué sabías, para dar ese paso de perdición, sin consejo de mayores? ¿Cuándo hallarás mejor partido que Colás? ¿Por qué no le dijiste que sí, con mil amores? ¡Ay! Ya no es hora. Nos has partido por la mitad. Somos perdidas.

Herminia respondió serena, que, como ser, todavía era hora, pues Colás le había escrito desde fuera, asegurándole lo duradero e invariable de su cariño; pero, que ella, si bien sentía por Colás un afecto apacible y admiraba su nobleza, no podía corresponderle como él deseaba. Aun estando loca por él, jamás le tomaría por esposo. Prefería la miseria y aun la muerte al suplicio de tener que vivir siempre al lado de Tigre Juan, que le causaba terror y repugnancia. Finalmente, confesó que estaba enamorada de otro hombre. Quién fuese el sujeto, no se lo pudo sacar la abuela, ni con amenazas ni con súplicas. Este hombre era, precisamente, Vespasiano.

La misma noche, doña Mariquita, con manteleta y capota de vestir, se presentó en casa de Tigre Juan. Estaba aturdida y trémula, como un chorlito a la vista de una serpiente. A Tigre Juan, sin saber por qué, le dió gran alegría ver bajo su techo a la abuela de Herminia. Menudeaba las exclamaciones de contento, como con una persona a quien se vuelve a hallar después de muchos años de ausencia. La tomó de la mano hasta una silla. Se disculpó de no tener dulces en la alacena. Le ofreció chorizo, queso y vino blanco de Rueda, que eran los únicos bastimentos de boca que había en la casa. Doña Mariquita, por no desairar, y entre repulgos y muecas, como quien ingiere con violencia una pócima, bebió tres vasitos de vino blanco. Con esto se enardeció. Al cabo de bastantes circunloquios, guiños y caricias con el abanico en la mejilla de Tigre Juan, le dijo que acababa de enterarse de lo de Colás y Herminia; que sondeando a la nieta, había comprendido que estaba amarteladita, lo que se dice amarteladita, por Colás, mas no se había atrevido a decirle que sí, por recato; y que el matrimonio era cosa descontada, en concluyendo el chico de servir al rey. Por último, osó llamar «consuegro» a Tigre Juan.

Tigre Juan se puso verde. Imponente y todo erizado, como puercoespín, gruñó:

—Señora: ¿por quién me ha tomado usté?

Doña Mariquita, cortada, acudió al vino blanco, a fin de recuperar los bríos:

—¿Piensa que lo invento yo? ¿Cree que por mi interés le engaño? ¡Válgame Dios! Señor don Juan... Por éstas, que son cruces. Como la luz; le juro que los chicos se casarán —insistió doña Mariquita, atropelladamente; luego besó una cruz improvisada con el abanico y un tenedor.

—Pues yo, sin jurar, que los hombres de honor no tienen para qué, le prometo que no se casarán, porque no me da la gana, ea —dijo Tigre Juan, descargando sobre la mesa tal puñetazo que obligó a doña Mariquita a dar un bote en la silla.

La tramposa vieja ocultó el rostro en el pañuelo, que apestaba a perfume barato, y en aquella atmósfera sofocante derritió algunos sollozos contrahechos. Después, enjugó los ojos, como si hubiese llorado:

—¡Perdón, perdón, caballero!... ¿Cómo pude yo?... Claro. Usted es capitalista; su sobrino es muchacho de carrera. Nosotras malvivimos, con privación y agobio. Nada tenemos y encima debemos. Por la compasión ajena nos sustentamos, aunque a pique de dar el porrazo. El hilo de nuestra existencia es quebradizo hilo de araña, que pende de recia viga. ¿Quién ha de ser la viga sino usté, mi señor don Juan? ¡Ay! No me dirán que no veo la viga en ojo propio. Mi nietecina Herminia, la pobre, ¿cómo va a aspirar...? Nada tiene, nada vale.

—Eso sí que no, ¡reconcho! —cortó Tigre Juan, duro por fuera, enternecido por dentro.

—Sí, sí —chilló la vieja—. ¡Ay, mi Herminia! Hermosura y bondad son tu única hacienda.

—¿Le parece poco? Para mí lo quisiera —atajó Tigre Juan, más enternecido.

—¡Púdrete, agóstate en tu florida mocedad, hija! ¡Sáciate de desengaño y estalla a la postre como un triquitraque, que ése es el programa de festejos para las pobres honradas!

—Vaya, vaya, doña Marica. Cesen los hipos —amonestó Tigre Juan, poniendo una mano en el hombro de la vieja—, si hemos de seguir siendo buenos amigos...

—Pues ¿qué otra cosa deseo yo sino seguir como hasta ahora? —interrumpió la vieja, acaso prematuramente.

—Pues bien —reanudó Tigre Juan, abocetando una sonrisa dudosa—. Lo pasado, pasado. Lo ocurrido fué lo mejor que podía ocurrir. No hablemos más, nunca más, de eso, y seguiremos siendo buenos amigos.

—¿Es de veras? ¿No me guarda rencor? Si de mí hubiera dependido...

—¡Cuidado, cuidado, doña Marica, que volvemos a las andadas!... — interpuso Tigre Juan, tornándose serio un instante, y recayendo después en la sonrisa, más ancha y más dudosa esta vez.

La vieja miraba desorientada a Tigre Juan.

—No me dejó concluir — corrigió la astuta vieja —. Quise decir que, si de mí dependiera pagarle a usté aquellas pesetinas, por mi salud que lo haría sin perder minuto; pero como de mí no depende, yo soy la que dependo de usté, tanto cuanto usté quiera aguantarse esperando y seguir de esta conformidad. Por eso temía, y temo, que otra le quede dentro y se esté burlando de esta triste anciana.

—Pues sí, señora. Otra me quedaba dentro. No estoy dispuesto a seguir de la misma conformidad en ese asuntín de la deuda. No, señora. Por lo demás, todo igual. Tan amigos, o más amigos si cabe. Pero los negocios son los negocios, y han de estar siempre en situación notoria y sobresaliente, como la nariz en mitad de la cara. Sí o no; nada de puede o quizás; que eso pertenece al juego, más bien que al negocio. Hay que dar conclusión inmediata a nuestro negocio.

La sonrisa de Tigre Juan se había ensanchado en términos que ya le obligaba a abrir la boca. Era como risa sardónica o calambre del rostro.

—¡Me mató! — sollozó, desmadejada, doña Mariquita, apercibiéndose a escenificar un patatús de gran espectáculo, antes que aquella boca de Tigre

Juan, como sima, que parecía que la iba a tragar, pronunciase otra palabra.

La comezón de generosidad que aquellos días hurgaba sin cesar a Tigre Juan le inducía en estos momentos a sonreír, hablar y proceder extraordinariamente. Abrió una gaveta, de donde sacó el pagaré de doña Mariquita. Tomándolo por una punta con dos dedos, lo acercó al hocico de la vieja, quien, con los ojos entornados, fingiéndose accidentada, espiaba entre la celosía de las pestañas el ir y venir de Tigre Juan. Pronto la vieja puso ojos de ternera, redondos y estúpidos, al ver que Tigre Juan encendía un mixto, aplicaba fuego al pagaré, lo dejaba arder hasta quemarse las yemas y, al final, soplando, diseminó en el aire las pavesas del carbonizado papel.

—¿No lo dije? Finiquito el negocio. Ni usted depende de mí ni yo de usted. Tan amigos — remató Tigre Juan.

—¿Estoy despierta? ¿Se me subió el vino a la cabeza? Señor don Juan... ¿Y era usté el torrente devastador? ¿Aun se atreverán a llamarle Tigre? Rey de Jauja, gallina de los huevos de oro. ¿Cómo podré corresponderle? Déjeme que le dé un beso en la frente, donde debía llevar corona.

Tigre Juan, con un respingo, refunfuñó:

—¡Diablos coronados! ¿Qué corona quiere usted decir, señora?

—Corona de santidad. Pues, ¿qué otra?

—Ni ésa ni ninguna. La frente, despejada y sin adornos. Por eso nunca me verá con sombrero, gorra ni montera. Conmigo no valen indirectas.

—¡Qué corazón, como el monte Sinaí! ¡Ay, hijo! Ni un hijo por su madre haría otro tanto. Enfermaré de golpe. Déjeme que le bese — y doña Mariquita daba saltitos de urraca frente a Tigre Juan, esforzándose en alcanzar a picotearle un beso.

Tigre Juan reía ahora audiblemente. Dijo, empujando con suavidad a la visita hacia la puerta:

—Pues cuídese, y desahogue en casa. Adiós, adiós. Buenas noches. Tan amigos.

Desde la escalera, doña Mariquita le tiraba besos con el abanico.

Ya que se halló a solas, Tigre Juan entró en el camarín de las reliquias. Desvanecido en una especie de optimismo cósmico (pues vivía en el mejor de los mundos posibles, y este mundo óptimo lo llevaba dentro de sí, en la sentimentalidad etérea, vagarosa, que le henchía) estaba Tigre Juan admirado y orgulloso del rasgo que, como por divina sugestión, había tenido con doña Mariquita. Dirigiéndose imaginariamente a Colás y en tono solemne, habló así: «Ya estás vengado. La más cumplida venganza de los caracteres nobles se satisface con oponer a la ofensa la longanimidad. Ahora mismo, a Herminia se le estará cayendo la cara de vergüenza. (Tigre Juan pensaba, sin darse cuenta: estará conmovida, saturada de dulce rubor; tal vez se le han humedecido los ojos.) Y si todavía no entendiese, pensaré nueva y redoblada venganza. Hay más días que longanizas.» Se fué a la cama y antes de cinco minutos se le oía roncar, con timbre agudo y victorioso.

Salió de madrugada al campo a recoger hierbas curativas. Todas las cosas le seducían; era llevado hacia ellas por un modo de amor, nacido de la comprensión. Todo era hermoso. Todo era útil. Todo era bueno. Las mismas hierbas venenosas, ¿no son medicinales: unas, tónicas, que otorgan fuerzas al flaco; otras, anodinas, que apagan el dolor? ¡Qué linda, qué grácil aquella colina, con su contorno de seno femenino! Apetecía estrecharla contra el pecho, como una esposa. Su falda, de dorado velludo, estaba moteada de flores. Hacia allí fué Tigre Juan, a cogerlas. Eran las flores de la belladona; blancas azucenas, con bordes rosados; pinceles de pluma de cisne, mojados en luz de aurora. ¡Qué maravilla! Volvió a la ciudad, con un manojo de estas flores. Doblando con acatamiento la espalda, se las ofreció a Carmina, símbolo suficiente, por lo visible, de la otra mujer, velada todavía tras el cendal de una nube.

Como las vegetaciones de gruta se alargan hambrientas hacia el resquicio por donde penetra un vestigio blanquinoso de luz, migajas de la gran hogaza dorada del sol, así el amor grutesco de Tigre Juan, ciego y premioso, acentuaba la tendencia hacia Herminia. No tardó en concurrir de nuevo al tute de doña Marica. A pesar de los apóstrofes y protestas de don Sincerato, hacía adrede malas jugadas para que la vieja ganase. La noche que Tigre Juan reapareció en la tertulia, Herminia se puso en pie para saludarle, con voz difícil, que la abandonaba. Luego fué poco a poco hurtándose en lo oscuro, hasta que, azorado el corazón, escapó furtivamente de la tienda a la trastienda. Tigre Juan no quería verla; pero, a cada poco, hacía profundas inspiraciones de aliento, como si la respirase desleída en la sombra, saturando el recinto. Un momento creyó que se ahogaba, que le faltaba la respiración. Lo que le faltaba era Herminia, cuya ausencia notaron al punto sus pupilas de gato.

—¿Dónde ha ido esa mocosa? — preguntó, sin poder contenerse, Tigre Juan.

—Déjela que haga lo que quiera. Muy disgustada me tiene. Es testaruda y majadera. Ha de salir siempre con la suya — replicó doña Marica.

—¿Cuándo se ha visto eso en una joven bien criada? — exclamó Tigre Juan, con ademanes de reprobación.

—Y yo ¿qué le voy a hacer, señor don Juan? ¿No he malgastado mis años, que son muchos, y mis cuartos, no tan cuantiosos, en educarla a mi imagen y semejanza, que saliese mujer de peso; cortés, avisada y agradecida? Años y dinero en balde. ¿Qué le voy a hacer yo, mi señor don Juan? — dijo la vieja, inclinando de un lado y otro la cabeza, con fingida aflicción, y descubriendo de soslayo las cartas, ora de Tigre Juan, ora del clérigo.

—¿Qué va a hacer? Muy sencillo. Ante todo enseñarla a obedecer, que a esto se reduce la educación de las mujeres. Llamarla ahora mismo, y que se esté ahí quietecita, a la luz o a la sombra, eso a su elección; que también las mujeres han de gozar de cierta libertad en las cosas secundarias e indiferentes. ¿Es que esa señorita se deshonra con nuestro trato y vecindad? ¿Es que yo, digo nosotros, no tenemos derecho, derecho de urbanidad, entiéndaseme, a exigir que esa chiquilicuatra, y la propia princesa de Asturias, no nos menosprecie sin razón? No paso por esto. Antes me voy, para no volver — dijo Tigre Juan, irritándose progresivamente e iniciando el gesto de marcharse.

—No amolar, amigo, no amolar. ¡Ja! ¡Ja! ¡Ja! Pelillos a la mar. ¡Ejem! ¡Ejem! — intervino el señor Gamborena, agarrando de una muñeca a

Tigre Juan —. Buen juego en la mano. No renuncio, hermano. ¡Ja! ¡Ja! Allá la mocina. Válgase a su guisa. Déjenla en paz. Moza se oscurece, de amores adolece. ¡Ja! ¡Ja! Moza en los rincones, por medio pantalones. Novio de tapadillo. Por el hilo, el ovillo. ¡Ja! ¡Ja! ¡Ja!

—Basta de barbaridades, señor diácono o señor idiota, y aprenda antes a hablar con decencia y claridad — dijo airado Tigre Juan, mirando de arriba abajo y con mirada fogosa al esquelético diácono, como si fuese a calcinarle los huesos.

—Calzoncillo domina enagua: más claro, agua. ¡Ja! ¡Ja! ¡Ja! ¡Ejem! ¡Ejem! ¡Ejem! — barbotó, entre intermitencias catarrosas, don Sincerato, retorciéndose de hilaridad y armonizando un trío de ruidos áridos con su tos, su risa y el roce de sus rechinantes coyunturas.

—¡Mal sacerdote! — rugió Tigre Juan, a punto de abalanzarse sobre el mezquino y bienhumorado contrincante de tute.

—¡Haya concordia entre los príncipes cristianos! — atajó doña Marica, acariciando con el abanico la barbeta convulsa de Tigre Juan, y dando con la otra mano palmadas entre los omóplatos del clérigo, a fin de ayudarle en la expectoración. — Toda la culpa es de esa atolondrada de mi nieta. ¡Herminia! ¡Herminia! — chilló la vieja.

—Mande, señora — se oyó a una voz débil, como encerrada en un cofre.

—Aquí al instante — proseguía chillando doña Marica —, si no quieres que vaya y te traiga arrastrada de los pelos. Eso eres: una arrastrada. Al instante, a pedir perdón a estos señores. ¿Es ése modo de portarse con las visitas de cumplido; dar media vuelta y despedirse a la francesa?

—Señora — tartajeó por lo bajo Tigre Juan —. Ni tanto, ni tan calvo. Eso de los pelos... Y luego una palabrota tan indigesta como esa de *arrastrada*. Y ¡vaya! qué visita de cumplido; por tal no me tengo.

—Déjeme; ya verá — retornó doña Marica, infatuada, al parecer, en el ejercicio de su autoridad doméstica.

En la penumbra se definió el bulto de Herminia. Sin avanzar hacia la luz, balbució con susto:

—Dispensen. Perdón, abuela. Fuí por una madeja de lana. No creí que notasen mi falta, ni quise ofender.

—¿Falta, dices? Pecado, crimen contra la urbanidad y el respeto a estos caballeros, que nos hacen la merced de su amistad. Ni a la emperatriz de Rusia se le podría tolerar semejante grosería. ¡Mal educada! Ya te enseñaré yo a obedecer; a palos, si te resistes. A palos.

Hablase doña Marica por hablar, según su costumbre, a manera de eco y flato sonoro, o bien estuviera de verdad enojada con su nieta, ello es que Tigre Juan lo tomó tan a pecho que se le puso la sangre en ebullición. Imaginaba, hasta creer verlos, dentro de la pudibunda y piadosa sombra, los pómulos de Herminia encendidos, como un rescoldo, por la vergüenza. Se le hacía insufrible la afrenta, como si fuese propia. Levantando el tono, en son de reto, dijo:

—Eso sí que no. Me pronuncio paladín de Herminia. Nadie lleve su temeridad a tocarle, no ya el pelo de la cabeza, ni el pelo de la ropa. Haga mi dama lo que tenga a bien. Esté o no esté, entre o salga, sin decir esta boca es mía, según su arbitrio. Sea soberana su voluntad y decida por gusto, no por fuerza.

—Pero... — objetó estupefacta doña Marica.

—No hay pero que valga — cortó Tigre Juan —. Pues no faltaba sino que le estuviera vedado ir por una cochina madeja de lana. ¿De qué color es, querida?

—Verde — murmuró Herminia.

—¡Esperanza! — dijo Tigre Juan, emocionado sin motivo —. Ea, ya está concluído el incidente. Acércate. Siéntate no lejos de nosotros. No sé qué nos da tenerte ahí, siempre rebozada en sombra, como las imágenes en cuaresma.

Herminia vino a sentarse a dos pasos de las personas mayores.

Tigre Juan pensaba: «Prosigue mi venganza, hermosa Herminia. Por segunda vez acudo en tu auxilio y te salvo; antes de la pobreza, ahora de la humillación. Porque yo mismo quiero ser quien te humille. Para que sepas quién soy yo. Así, a mi lado. Éste es tu suplicio.»

Suplicio era para Herminia estar en aquel sitio, sobrecogida, que no atinaba ni a hacer labor de aguja. El suplicio continuó de allí adelante, noche por noche, pues, de una parte, la abuela la obligaba a estar cerca de la camilla del tute, por complacer al huésped, contra el cual se apercibía a descargar segundo sablazo, fulminante y a fondo; y, de otra parte, Tigre Juan, enardecido con su original sistema de venganza, cada vez hacía a Herminia objeto de mayores atenciones. En un principio, traía a diario un cartuchito de caramelos para la golosa vieja. Luego, trajo dos: el mayor y más bonito para Herminia. Después, pasó a otros regalitos más duraderos y de recuerdo: cosillas de vanidad y adorno, como una cinta, un imperdible, una peineta, un frasquito de agua de Colonia, que más tarde Herminia arrojaba, con odiosidad, en el fondo de su baúl; porque comenzaba a comprender antes que Tigre Juan. Por último, no siéndole suficientes a Tigre Juan las horas de nocharniega tertulia junto a Herminia — aunque él continuaba ignorante de esta amorosa necesidad de aproximación creciente —, una mañana, por primera vez en más de veinte años, abandonó su puesto del aire, ¡en día de mercado!, y se presentó en la tienda de doña Marica, con un pretexto baladí:

—Señora — dijo —; sé que le gustan a usté con frenesí las nucces de leche, y aquí le traigo las primicias de este año, las únicas que han venido a la plaza. ¿Qué hay? ¿Se vende mucho? ¿Y la niña? ¿Dónde anda?

—Arriba, trajinando, barriendo y haciendo las camas.

—¡Ah! Así, así. Las doncellas, hacendosas. Una niña nada gana tras el mostrador de una tienda, que es lugar público, adonde asisten lo mismo mujeres que hombres, y cuáles de ellos provocativos de talante y mal hablados.

Volvió Tigre Juan a su puesto, y, como estaba inocente en su conciencia, y el gran amor que le colmaba no había cristalizado aún en pensamiento oral, se sentó con la mayor naturalidad, sin percatarse de la mirada de estupor que la viuda de Góngora le dirigía. Para doña Iluminada, la deserción momentánea de Tigre Juan fué una especie de fenómeno contra las leyes inmutables de la mecánica celeste. Le hizo el mismo efecto que si una estrella fija cambiase de lugar en el firmamento, pasándose de una a otra constelación, o de uno a otro hemisferio, como un oficial del ejército que se trasladase de guarnición. Tigre Juan había salido de su órbita antigua, por la tangente. Ahora atravesaba incógnitas regiones del infinito, en torno y esclavo de un sol flamante, cuyo orto se presentía, mas no el punto del horizonte por donde iba a asomar. ¿Cuál era este sol?

A los pocos días, Tigre Juan se evadió de su puesto, nuevamente. Doña Iluminada llamó a Carmina:

—¡Vivo, vivo; hijita! Sigue a don Juan, sin que él te advierta. Digo, ¡qué ha de advertir! Y dime dónde se mete.

La niña volvió a poco con la noticia. La viuda abrió mucho los ojos, deslumbrada, como quien todavía no ve claro, por exceso de claridad. Al cabo de un largo silencio contemplativo, bisbiseó, hablando para sí:

—Herminia... ¡Evidente! ¡Evidente! Tenía que ser...

—¿Deseaba algo más, madrina?—. Doña Iluminada había pedido a su prohijada que le llamase siempre madrina.

—Nada, nada, hijita. Puedes retirarte.

«Tenía que ser — meditaba la viuda amorosa y pálida —. Tenía que ser. La esponja no escoge el agua donde ha de empaparse, sino que chupa y se hinche de aquella que primero le cae encima; agua de cielo o agua de charca. Disparate, esperar que la esponja chupe arena. Eso soy yo, arena de desierto. Tigre Juan, con su corazón de esponja, tenía que enamorarse de la primera mujer joven en quien se fijase. Esta mujer tenía que ser, ¡no podía por menos, no podía por menos!, la misma en quien Colás se fijase, que de otra suerte él no se fijaría en ninguna. Todo lo veo sencillo y razonado como en un libro: lo quc fué, lo que es, lo que será; lo que pudo ser en el porvenir. Mañana quizás no acierte a recordar lo que ahora tan bien comprendo. ¡Qué claro, qué claro, qué presente lo veo todo ahora, hacia atrás y hacia adelante! Antes que se entolde este instante de luz, he de formar mi plan. Tigre Juan tenía que enamorarse de la mujer de quien Colás se enamorase. Ahora, pongamos que ella hizo caso al mozo, y se casa con él, y viven juntos con Tigre Juan... Hubiera sido lo mismo; Tigre Juan se enamora de ella, hasta la muerte. Tal vez con amor dormido, sin darse cuenta él ni los otros dos. Menos mal, tomarían el amor como amor de padre. Peligrosa mentira. O tal vez con amor despierto y de deseo. ¿Por qué no? Colás no es su hijo. ¡Qué tragedia, sin embargo! No quiero imaginarlo. Gracias a Dios, Herminia rechaza a Colás. Perfectamente. Herminia dice que siente miedo y repugnancia de Tigre Juan: bonísimo síntoma. Lo que Herminia siente es vértigo hacia Tigre Juan; un poder de atracción que la domina y que no puede contrarrestar si no es encastillándose en una proporcionada voluntad de repulsión. Paso, paso, Iluminada: esto de la atracción, ¿no será que atribuyes a Herminia tus sentimientos? Acaso Herminia sólo siente repulsión, como asegura. No, no; atracción también. No me equivoco. Quiere apartarse, como enloquecida, del abismo que la absorbe. Pero en él se hundirá. Está escrito. Lo leo en la blanca página de los destinos. Aquí entra mi ministerio. Haré que seáis felices. Y lo seré yo. Mi felicidad tendrá sabor dulciamargo. Mejor: más sabrosa. ¿Y Colás, cuando vuelva? ¡Ay, Dios! No importa, no importa. Dios me encomienda misión providencial. He de hacerle feliz asimismo, que es como acrecentar mi felicidad, ya que yo no puedo serlo sino en los otros; y no me pesa. Dios me condenó a esterilidad, para ser más fecunda. Y habrá quien me compadezca... ¡Qué saben ellos! ¡Bendito y alabado seas, Señor, por esta carga que sobre mí pusiste y que yo acepto gozosa! Colás, hijo — hijo te llamo —; mujer tienes deparada desde el principio del mundo, y no sabes todavía cuál es: yo sí. Cuando tornes y veas a Herminia casada con quien es como tu padre, grande va a ser tu dolor. Querrás matarte. Entonces, oirás el canto mañanero de una avecica enjaulada, y querrás seguir viviendo. Soltaré el pájaro cautivo, y te irás en su seguimiento; hijos los dos del aire, nacidos para la libertad. Creerás robar una mujer; mas yo seré quien te la haya anudado al cuello.»

Durante este soliloquio mental de la viuda de Góngora, Carmina había permanecido, acurrucada e inmóvil, a los pies de la señora. La viuda, que paró atención en ella, dijo:

—¿Qué haces ahí, criatura? ¿Cómo no te has ido?

Carmina, elevando sus grandes ojos radiantes hacia la señora, rogó:

—Madrina: cuénteme otra vez el cuento del hada madrina.

—¡Hija mía! ¡Hija mía! — exclamó doña Iluminada, besando los ojos legibles de la niña, donde veía el futuro que ella deseaba.

Doña Marica estaba segurísima de interpretar acertadamente la oculta intención a que respondía la desconcertante conducta de Tigre Juan. Según ella, y así se lo decía a Herminia, las finezas, obsequios y liberalidades de Tigre Juan se enderezaban al propósito de casarla con Colás. Y nada más que a esto. Se caía de su peso. Herminia afligía el ceño y denegaba con la cabeza. Doña Marica se excitaba.

—Aviadas estamos — exclamaba—. Pues tú, que estás plumando y no sabes de la misa la media, ¿querrás conocer a los hombres mejor que yo, con mis años y el colmillo retorcido?

Era un modo de decir, pues tenía la boca desdentada. Proseguía:

—Por las malas, pudo obligarme a casarte con Colás. ¿Y qué íbamos a hacer nosotras? Tomó el camino de las buenas, que es como carretera real, más larga que el atajo, pero más cómoda, y siempre lleva hasta el fin. Supo, sin duda, que tú habías dicho: antes muerta que bajo el mismo techo con Tigre Juan. Dolióse, alma de Dios, y pensó en sus adentros: Voy a fingir que no quiero la boda, que nada exijo, pudiendo; quemo mis naves, digo, mis títulos para demandar; aquí estoy tal como soy, entrañas sin hiel. ¿Te arrepientes? ¿Te casarás ahora? Para que veas. Éste es todo el intríngulis. Y eso tenemos que agradecerle.

—Y agradezco, abuela, lo que por nosotras ha hecho y hace. Lloro a solas, con remordimiento de no ser bastante agradecida. Pero...

—Pero ¿qué?

—Aborrezco estar a su lado. No lo puedo remediar.

—Asno con piel de león. Espantable, pa-

ra nosotras no lo es. Como feo, otros hay más.
—No es que sea feo. Espantable, sí; y más cuanto más atento y generoso se muestra.
—¿Tanto te asusta su presencia?
—Sufro mucho, abuela.
—¿Qué te asusta de él?
—No lo sé. No lo quiero saber. Siempre me asustó. Ahora, me horroriza.
—¡Ave María! ¡Simplezas, niñerías! ¿Acaso te vas a casar con él?
—¡Calle, por Dios, abuela! — Y Herminia se tapó la cara con las manos.
—Ya te irás dominando; es cuestión de costumbre. Por lo pronto, sigue como hasta ahora, sin darle a entender que te es un poquitín antipático.
—No es eso. Antipático no me es, ni poco ni mucho.
—Y si, aun a costa de un pequeño esfuerzo, hasta fueras amable con él por unos días, tanto mejor. Mis negocios van de capa caída, neñina. Tengo que acudir otra vez a Tigre Juan. Hay que sorprenderle en punto de caramelo y buen humor.
—No, no, no, abuela. No haga eso.
—¿Qué de particular tiene? Seremos parientes. En resumidas cuentas, ve habituándote a esa idea; te casarás con Colás.
—Tigre Juan no quiere que me case con Colás.
—Eso dice; otra le queda.
—No, abuela no. Le juro que Tigre Juan no quiere que me case con Colás.
—Tú eres quien no quiere.
—Yo, tampoco.
—Pues será.
—No, abuela. Y no seré yo quien me oponga y lo impida.

—¿Secretitos? Franquéate. ¿Va a impedirlo otro hombre? ¿Quién es? ¿Sigues encaprichada por ese otro hombre? ¿No puedo saber quién es? ¿Tan poca confianza y respeto te merece tu abuela? ¿Dónde vive? Me da en la nariz que se trata de un pelafustán. Apuesto que no hay comparación con Colás. Búscale tacha si no.

—Ninguna: que no le quiero. Digo, le quiero como hermano, y nunca le podría querer de otro modo. Es un niño. Pero no hay que hablar de Colás. El pobre está descartado.

—Es un niño... ¡Ya, ya! Acabáramos. Quiere decirse que son de tu gusto los hombres machuchos. Te pusiste colorada. Acerté. Pues no; pues no. Aunque tú lo descartes, Colás no está descartado. Te casarás con él. Que venga ese otro a impedirlo. A ver quién puede más.

—Quien lo impedirá será Tigre Juan, abuela.

—Me sacas de mis casillas con tu tozudez. ¿En qué te fundas?

—No lo sé, abuela. No quisiera saberlo. Por no acertar, el pelo me cortaría, de raíz, y se lo ofrecería al Santo Cristo de la Esclavitud. Abuela, sufro mucho—. Y arrojándose en el regazo de la abuela, rompió en lágrimas y sollozos.

Doña Marica colocó entre las fofas encías el diente verde de un caramelo de menta, y farfulló nerviosa:

—¡Bah, bah! Meona se presenta la otoñada. Tú, por no ser menos, imitas al tiempo. Descargando en agua las nubes de tus turbios pensamientos, despejarás. Caen las hojas muertas y se desnudan los árboles. Que así sea también con la hojarasca de tus ilusiones locas. Vuelve a la realidad, neñina.

—En la realidad estoy, abuela. ¡Ay de mí!

—Pues ahí te quedas, con tu realidad caprichosa; ya me tienes aburrida. Voyme.

Este coloquio familiar se desarrollaba en la trastienda, anochecido, poco antes de la hora de la cena. Al moverse para salir, doña Marica dió de cara con la blanca y silenciosa viuda de Góngora, plantada en la puerta que comunicaba con el comercio.

—Tanto bueno por aquí, honrando estos humildes rincones... Con palio debiéramos recibirla, como en solemnidad o procesión. Pierdo la memoria de la última vez que la vi por mi casa. ¡Qué distinción para nosotras!... Siéntese, siéntese —chillaba doña Marica, inclinándose ante doña Iluminada, abrazándola luego, y tirando de ella hacia un patizambo sillón de caoba y reps verde.

Herminia, en escorzo vergonzoso, reprimía dentro del pecho los suspiros y enjugaba las lágrimas. La de Góngora traía preparada la introducción. Con su sonrisa de propiciatoria melancolía, que a todos inclinaba del lado del respeto y de la afección, dijo:

—Como Herminia tiene manos tan primorosas para la aguja, vengo a pedirle el favor de que le haga a Carmina un gabancito de punto, que el invierno se viene encima a más andar. Ya he cerrado mi tienda por hoy, y a la de ustedes me trasladé en cuatro brincos; la hallé solitaria, y sin dar voces ni palmadas, por no levantar ruido, eché tras del mostrador y hasta aquí me metí. Perdonen el atrevimiento. Por mí no se detenga, doña Marica. Usté iba a salir cuando yo entré. Nada de cumplidos. Váyase, váyase. Me basto sola con Herminia—. Con irresistible mansedumbre fué empujando a la vieja y la despidió fuera de la estancia. A solas con Herminia, después de sentarse en la butaca, prosiguió en voz calma y mate:

—Siéntate. Hemos de hablar breve rato. Si te disgusta responder, hablaré yo nada más. Y si te disgusta oírme, con un gesto me cerrarás la boca. Por sorpresa y sin yo buscarlo, algo vi y oí al entrar. Llorabas. Tu abuela decía: «Despejarás los turbios pensamientos. Caiga muerta la hojarasca de tus ilusiones locas. Vuelve a la realidad.» Tú replicaste: «En la realidad estoy.» Y diste un quejido que me partió el alma. ¿Tan dura es la realidad para ti, Herminia? ¿Tan negros son tus pensamientos y tan espesa la maleza de tus ilusiones? Yo que creía lo contrario, y venía a darte la enhorabuena...

—¿La enhorabuena?... — balbució Herminia, sin sangre en las mejillas.

—Sí, la enhorabuena. ¿Sabe algo tu abuela? Barrunto que no. La buena señora es algo distraída y tarda bastante en enterarse.

—¿Enterarse?... — alentó débilmente Herminia.

—Nada tiene de particular. Más increíble es que él mismo no se haya enterado todavía.

—¿Quién? Señora, por amor de Dios, no me atormente — gimió Herminia, uniendo las manos implorantes.

—Al contrario. Tú misma te atormentas. Yo vengo a que tu tormento se convierta en dichoso sosiego.

—No la entiendo.

—Lo primero, dejarás de ser hipócrita.

—No soy hipócrita, señora.

—Te creo. Entonces no es que tú no me entiendas, sino que yo no me he dejado entender. Hablaré más claro. Un hombre, óyelo bien, un hombre se ha enamorado de ti, como se enamoran los hombres; tú lo eres todo para él, como él lo debe ser todo para ti. Cuando un hombre se enamora, querida Herminia, es vana toda resistencia. Además, como es tan fuera de lo acostumbrado dar con un hombre así, e inspirar una pasión semejante, por esa fortuna te daba la enhorabuena. ¿No te sientes curiosa de saber quién es ese hombre? Al punto te lo diré. Ese hombre es...

—No, no, no; por lo que más quiera: por la memoria de su marido... No lo quiero oír. No lo quiero saber — suplicó Herminia, desemblantada, tapándose los oídos y doblando las piernas para arrodillarse.

—Luego me entendías. No diré más. Levántate, pobrecita mía. Acércate. Siéntate aquí, sobre mí, como si fueras mi hija. Ven que te acaricie y te murmure a la oreja dulces consuelos —. Herminia, obediente, como rendida, fué a sentarse sobre la viuda, e inclinó la marchita cabeza en su hombro. Doña Iluminada continuó cuchicheando —: Te quiero bien, niña, te quiero bien, puesto que mi cariño es desinteresado y doloroso. ¡Qué mejor querer que querer para otros lo que uno para sí quisiera! Te quiero bien.

—No, señora — murmuró Herminia, con soplo casi inaudible —; no me quiere bien. Querer para otros lo mismo que para sí, es ir contra el querer de los demás. Así quieren las personas mayores, que como ya no pueden querer, porque no pueden conseguir, sólo quieren obligar a los otros a que quieran sin querer. Pero los jóvenes no queremos así, porque queremos de verdad. ¡Queremos! ¡Queremos! Eso es todo. Queremos para nosotros, nada más que para nosotros. No podemos querer sin querer, ni dejar de querer queriendo.

—Razón tienes, en parte, hija. Yerras, sin embargo, creyendo que los años mudan la condición de la voluntad. El toque, niña, no está en la diferencia de años, sino en la variedad de caracteres. Si fuese sólo cuestión de años; más fácil me parece doblar la voluntad del mozo, rama verde y jugosa, que no la del viejo, la cual, por dura y reseca, antes quiebra que se dobla. Quien es voluntarioso de joven, no dejará de ser caprichudo de viejo, y el que nació dócil, dócil perseverará tanto cuanto viva. También yerras, tortolilla, en eso de que el mozo quiere con más fuerza que la persona de edad madura, entendiendo ahora por querer lo que tú asimismo deseabas que yo entendiera, o sea, amar. La verde rama arde malamente, aunque mucho crepita y alborota, y no es raro que se apague; mas la rama seca se abrasa con un fuego poderoso y claro. Me has dicho que los mayores, como ya no pueden querer, porque no pueden conseguir, obligan a los jóvenes a que quieran sin querer. ¿Tú qué sabes, pobrecita? Tampoco esto es cosa de edad. Proviene de la manera de ser. Cuando no se puede conseguir, se puede, como perro de hortelano, estorbar que otros consigan lo que uno para sí querría; y es lo común y corriente. Ya te lo enseñará la vida. Últimamente: no poder querer sin querer, ni renunciar al querer queriendo, son imposibles entrambos así para el mozo como para la persona de edad. Pero, así la persona de edad como el mozo las más de las veces no saben lo que quieren, y andan engañados. Toman por amor lo que no pasa de un capricho pasajero, del cual luego se arrepienten; e ignoran acaso el amor invencible que secretamente les señorea. No lejos tienes el ejemplo; digo de estar enamorado sin darse cuenta. Hay que cerner y separar lo falso de lo verdadero, el querer de capricho del querer de corazón. ¡Cuántos acuerdan en sí cuando ya no es ocasión! Por eso venía en tu ayuda... Tú quieres ya a ese hombre. Por eso no me dejaste nombrarlo. Le quieres tanto, tanto, que te asusta reconocerlo.

Herminia callaba. Prosiguió la viuda:

—Mucho y vanamente me extendí en responder a tu alegato, por si valía la pena. No me has interrumpido ni con un gesto. Me has escuchado como si nada fuese contigo. Comprendo, Herminia, que mi sermón era excusado. Tu alma está amedrentada, que es como decir desierta de voluntad. Además, el que se mete a predicar en el templo del amor sentará plaza de impertinente y charlatán. El amor lo pintan ciego; pero en las pinturas no se ve que también es sordo.

—Señora: la he estado escuchando como si de su boca pendiera mi salvación. Nada tengo que replicar a lo que usté ha dicho. Según habla usté estoy conforme, cosa por cosa. Y en acabando, no estoy conforme con nada. Si acertase a decir lo que siento, volvería usté a responderme con nuevas razones y volvería yo a no poder replicar. Porque tiene usté a mano todas las razones, señora; pero yo, aquí dentro, tengo toda la razón.

—Tiemblas como una alondra, hija mía. Mis razones se te figuran relumbres de espejuelo, que yo hago girar para traerte a la red donde caigas presa. Lo que yo, ante ti, ando dando vueltas en la mano es un puro diamante; el diamante de la verdad; sus destellos, como en el juego del escardillo, penetran y cruzan el cuarto oscuro de tu voluntad. Quizás cierras los ojos del alma, sintiéndolos heridos de aquella luz.

—Pues yo, a la verdad que me lastima, prefiero la mentira que me halaga, y con ella me abrazo, porque el gusto que la mentira me da no es mentira, así sostenga lo contrario usté y todo el mundo, sino que es verdad, verdad; la única verdad amable.

—No puedes imaginar, hija mía, el placer que recibo oyéndote — exclamó doña Iluminada, acariciando a Herminia y besándole las manos después —. No te conocía bien. Me dejas admirada. No eres comoquiera. Eres toda una mujer. Menos abundancia todavía hay de mujeres que de hombres. Te miro como caída del cielo, providencialmente. Lo que tú a la postre hagas será lo debido; no tengo duda. A otra cosa. Permíteme, ahora, desvanecer una sospecha. Decías que te gusta la mentira...

—No, señora. Aborrezco la mentira. No sé cómo explicarme.

—Yo lo haré por ti. El mal, en la tierra, es una verdad harto evidente con que tropezamos a cada tres por cuatro. La felicidad, en cambio, ¿dónde está? Por aquí abajo, en la tierra, nadie la ha visto. Y no obstante, soñamos con ella y en su ilusión nos recreamos. Es mentira que la felicidad exista; pero la ilusión de felicidad es felicidad verdadera. Del mal, aunque sea verdad, no quisieras tener noticia...

—No, señora.

—Quieres hacer de tu vida un sueño dichoso, una ilusión feliz...

—Sí, señora.

—Por eso eres toda una mujer. Ésa es la misión de la mujer, y atiende que no tanto para consigo misma como para el hombre que elija por compañero y dueño. Te agradaría que la vida fuese como un cuento.

—Sí, señora.

—Apuesto a que no has perdido afición a leer cuentos. O por mejor decir, a imaginarlos.

Herminia callaba.

—Y aquellos que más te atraen son los cuentos de miedo y angustia, que al final todo se arregla a pedir de boca. ¿No es así?

Herminia callaba.

—Gran sentido esconden esos cuentos, hija. Todos ellos vienen a parar en lo mismo. Un dragón espantable amenaza destruir una ciudad como no le entreguen, a que la devore, la doncella más bonita y virtuosa. Ella misma se ofrece al sacrificio. Sin otras armas que su flaqueza, su bondad y su hermosura, se adentra, decidida, en la cueva del dragón. El dragón brama, arroja llamaradas por sus siete fauces, se abalanza sobre su presa. La doncella se arrodilla y abre los brazos en cruz, disponiéndose a bien morir. En este instante, ¡zas!, como por efecto de magia, el dragón, que es un príncipe encantado, torna en su ser propio, estrecha a la doncella contra su corazón, suspirándole al oído: Si por tu gentileza me habías hechizado, por tu espíritu de sacrificio me has librado del encanto; se casa con ella y... Colorín, colorao. Ahora, Herminia, a desencantar al infeliz dragón. No te digo más.

—Señora, señora, por Dios...

—Adiós, hija. A mí no me hagas caso. Lo que en definitiva resuelvas será lo debido y lo acertado. He tenido un hallazgo más valioso que un tesoro. He hallado una mujer.

El alma de Herminia, esa sutil y delicada madeja de emociones que es el alma de una mujer joven y encerrada en sí misma, quedaba, al marcharse la viuda de Góngora, como si una gata hubiera estado enredándola y divirtiéndose con ella. Vencidos el aturdimiento y contrariedad, Herminia comenzó atentamente a devanar y desembrollar la madeja de sus emociones. Tres hebras andaban entremezcladas: una roja, otra blanca y otra verde. ¿Cuál de las tres elegiría para tejer su vida? ¿Cuál de las tres en conclusión, iba a ser el hilo de su destino? La hebra roja era Tigre Juan. La hebra blanca era Colás. La hebra verde era el hombre a quien ella creía, antes, querer: Vespasiano. Pero, después de la conversación con doña Iluminada, ¿sabía ella en puridad lo que quería ni a quién quería? ¿Podría afirmar, con la mano sobre el pecho, que no quería a Colás? ¿Aquella piedad y respeto que sentía por el mozo, no era una manera de amor, aunque amor sin alas? El rendimiento y adoración de Colás, además de lisonjear su orgullo de mujer, le gratificaban esa necesidad íntimamente humana de experimentar un dominio firme sobre alguien. Casada con Colás, sería árbitro de la vida común, no por exigencia de ella, sino por incesante acatamiento de él. Del marido con quien al cabo se casase, si no fuera en cierto modo semejante a Colás, ella no podría por menos de establecer una comparación ideal entre ambos, y concluiría echando de menos en él algo propio de Colás y esencial del hombre: la servidumbre voluntaria a la mujer. Sentía Herminia, como mujer, la necesidad de un siervo. Y no menos intensa, la necesidad de un tirano. Su primer impulso, originado en el instinto, la llevaba a oponer resistencia al amor, y rechazar al pretendiente, como había hecho con Colás y con otros cortejadores. ¿Por qué lo había hecho? ¿Por desvío? ¿Con ánimo sincero de que cesasen en su pretensión? ¿O bien porque, indecisa y sin preferencia, deseaba, oscuramente, ponerlos a prueba, enardeciéndolos, hasta que uno, el más fuerte, tomase por la violencia posesión de su cariño, raptándole, por así decirlo, la voluntad de seguir resistiendo? A la negativa de Herminia, los pretendientes habían contestado con gesto de fingida indiferencia; menos Colás, que, por no morirse de pena, fué a ver si le mataban en la guerra. De los primeros, Herminia pensó: «O sólo buscaban pasar el rato, o no son hombres.» Y pensando en Colás, se dijo: «Pobre Colás; es un chiquillo.» ¿Por qué registro saldría Tigre Juan el día aciago, que había de llegar temprano o tarde, en que Herminia tuviera que rechazarle? Tigre Juan era un hombre; Herminia convenía en esto con la viuda. ¿La mataría, al verse despreciado? ¿Se atrevería ella a decirle que no, cara a cara? ¿No se desprendía de Tigre Juan un no sé qué, que de ella se apoderaba al par que la repelía? ¿Estaba, acaso, señoreada de un secreto y terrible amor a Tigre Juan, como le había afirmado, sin vacilar, la de Góngora? ¿Es concebible que el amor adopte un disfraz tan equívoco que no se le acierte a distinguir de la repulsión y el miedo insuperable? Por el entrometimiento de una asociación de ideas, junto con la visión imaginaria de los ojos felinos de Tigre Juan, Herminia se acordó del amor de los gatos. Aunque con prisa, deslizándose, sobre este pensamiento, no pudo evitar preguntarse: «El amor de las personas, ¿no será, en el fondo, como el amor de los gatos: una lucha rabiosa, desesperada, que parece a vida o muerte?» En seguida, murmuró en voz baja: «¡Qué horror! En tal caso, antes la muerte.» Otra salida había, sin acudir a este extremo: la evasión. Vespasiano era para Herminia un grito lírico: la evasión. Evasión actual de su imaginación y evasión venidera de ella misma, desde el insípido mundo cotidiano hacia la libertad del ancho mundo. El propio Vespasiano, en su facha, maneras y conducta, era evasivo, resbaladizo, escurridizo, seductor, como una sierpe irisada. (A poseer Herminia algún rudimento de latín, cosa que maldita la falta que le hacía y le hubiera sentado como a un Santo Cristo un par de pistolas, en vez de aplicar a Vespasiano estos cuatro calificativos, se hubiera servido de una palabra que los resume todos: lúbrico.) Para Herminia, Vespasiano era de consuno la nostalgia de lo desconocido y la tentación al extravío. De Colás y Tigre Juan, atraídos hacia ella, partía la iniciativa amorosa, y por ellos se sentía Herminia solicitada, requerida. En el caso de Vespasiano estaban trocados los papeles. Él la atraía y ella era quien le requería y le había solicitado, con largas miradas suplicantes. Él se dejaba querer. Como el marino tiene una novia en cada puerto, Vespasiano tenía una novia en cada mercado. Herminia no se conformaba con ser una de tantas, cauce por donde trascurriese, gorjeando, aquel arroyo desatado. Ambicionaba ser la presa que le atajase la carrera y lo remansase. Pero, pese a sus palabras, que le causaban dulce desmayo, y a sus promesas, que la arrebataban hasta el quinto cielo de la fantasía, Vespasiano ¿la quería a ella verdaderamente? ¿Por qué le había impuesto como condición que sus amores, aunque inocentes, permanecieran clandestinos, hasta que él juzgase llegada la ocasión y el modo de hacerlos públicos? Por su parte, ¿quería ella verdaderamente a Vespasiano? ¿No sería un antojo insensato? El odio a Tigre Juan, aunque de buena fe, ¿no sería mentido; más bien de pasión de amor, miedosa de sí misma, que se resiste a manifestarse? ¡Qué sabía ella lo que quería ni a quién quería! ¿Por qué una mujer no había de querer a un tiempo a tres hombres tan distintos y que así se completaban? De no poder querer a los tres, ¿por qué no se pudieran meter en un mortero, bien machacados y mezclados, y con ellos amasar el amante ideal? ¡Triste Herminia, que no sabía lo que quería ni a quién quería! Hallábase como fruta que asoma encima de un alto cercado. Que la obtuviese quien más arriba alcanzase. Si no la recogían a tiempo, caería de su peso al polvo del camino, y el primer vagabundo que pasase la gozaría.

Aquella noche, apenas llegado Tigre Juan a la partida de tute, comenzó diciendo, con gesto regocijado:

—Hoy he recibido una carta. ¿Saben ustedes de quién?

—De Colás — se apresuró a responder doña Mariquita.

—¡Qué Colás, ni qué niño muerto! ¡Señora, tiene usted el don de la inoportunidad! — replicó Tigre Juan, airado y mosqueando la oreja izquierda.

—Perdone. Creí... Viéndole la cara de fiesta... Pues ¿de qué otro puede ser?

—De Vespasiano, mi muy querido y fraternal

amigo — dijo, declamatorio, Tigre Juan, extendiendo un brazo.

—¡Ah, Vespasiano! — exclamó la vieja —. ¡Qué ojos de bálsamo oriental! ¡Qué bigotillo de sultán! ¡Qué hermoso muslo y pierna; pidiendo están la malla de seda, color malva, de Don Juan Tenorio! No parece hombre de hoy en día, sino de aquellos que en mi mocedad andaban nada escasos, no por cierto.

—Me reconcilio con usted, señora. Ahora ha hablado usted como un oráculo. Don Juan Tenorio, sin pieza de más ni de menos. En la epístola de hoy me cuenta por lo menudo sus recientes conquistas, o dígase burlerías y rechiflas. Aunque encubierto y a medias palabras, me habla de una buena moza, vecina de estos andurriales, o séase que vive no lejos de nosotros, en la mismísima Plaza del Mercado; doncella de caprichos un tanto excesivos, y verde todavía para hincarle el diente, a la cual, como fruta, a que madure entre hierba seca en el sobrado, dejó aquí bien arropada en amorosos pensamientos, y ha de hallarla a su vuelta blanda como breva y supurando miel. ¿Quién será esta dama tapada? No hay mujer que le haga ¡fu! Todas caen con él como mosquitos en aguardiente. ¡Ah, necias y vanidosas mujeres! El paraíso ven en la persona del seductor. Piensan que le van a retener, cuando cerca de ellas cruza. Échanle los brazos al cuello y cierran los ojos, como ajenadas. Cuando los abren, ya él está en los brazos de otra, escapadizo como una sombra, que una sombra solamente han abrazado. ¡Paraíso!... ¡Vaya, vaya! ¿Cómo no? Remordimiento. Humillación. Infierno de las mujeres. Vengador de los hombres. Eso es

Don Juan. Acuérdome haber oído, y no sé a quién, que Don Juan le dice así a Otelo: «Sufran, por mí, tus bárbaros y hermosos verdugos el martirio de amor de que fuiste víctima inocente. ¡Justicia! ¡Justicia! Hay un Dios en el cielo, y yo soy su profeta.»

—¡Adiós con la colorada! — exclamó don Sincerato —. Nos ha fastidiado. ¡Ja! ¡Ja! ¡Ja! Pues Desdémona ¿no fué también víctima inocente? ¡Ejem! ¡Ejem! ¡Pobres hombres y mujeres! Ojos tienen y no ven; oídos, y no oyen; boca, y no atinan a expresar lo que quieren. ¡Señor, Señor!... Buena lección les pones delante para que entiendan. Pues como si no. Atended, locos. Los que llamáis ciegos son los que mejor ven, porque no han menester luz; sordos y mudos, los que mejor hablan, porque para ellos el silencio es elocuente.

Hubo entonces un silencio tan delgado que se pudiera oír dehojarse una rosa. Eso era el corazón de Herminia: una rosa, deshojándose.

FIN DE LA PRIMERA PARTE

La segunda parte de este libro,
EL CURANDERO DE SU HONRA,
aparece en esta colección
AUSTRAL con el Nº 210.

NDICE DE AUTORES QUE INTEGRAN LA COLECCIÓN AUSTRAL

De los 450 primeros volúmenes

MARD, G.
276-Los tramperos del Arkansas.*

.ARCÓN, PEDRO A. DE
37-El Capitán Veneno y El sombrero de tres picos.
428-El Escándalo.*

LTAMIRANO, IGNACIO M.
108-El Zarco.

LVAREZ QUINTERO, S. y J.
124-Puebla de las mujeres y El genio alegre.
321-Malvaloca y Doña Clarines.

NÓNIMO
5-Poema del Cid.*

NÓNIMO
59-Cuentos y leyendas de la vieja Rusia.

NÓNIMO
156-Lazarillo de Tormes.

NÓNIMO
337-La historia de los nobles caballeros Oliveros de Castilla y Artus Dalgarbe.

NÓNIMO
359-Libro del esforzado caballero Don Tristán de Leonís.*

NÓNIMO
374-La historia del rey Canamor y del infante Turián, su hijo y La destruición de Jerusalem.

.NÓNIMO
396-La vida de Estebanillo González.*

.NÓNIMO
416-El conde Partinuples. Roberto el Diablo. Clamades y Clarmonda.

RAGO, DOMINGO F.
426-Grandes astrónomos anteriores a Newton.

RCIPRESTE DE HITA
98-Libro de buen amor.

RÈNE, PAUL
205-La Cabra de Oro.

RISTÓTELES
239-La Política.*
296-Moral. (La gran moral. Moral a Eudemo.) *
318-Moral, a Nicomaco.*
399-Metafísica.*

RRIETA, RAFAEL ALBERTO
291-Antología.
406-Centuria porteña.

AUNÓS, EDUARDO
275-Estampas de ciudades.*

AZORÍN
36-Lecturas españolas.
47-Trasuntos de España.
67-Españoles en París.
153-Don Juan.
164-El paisaje de España visto por los españoles.
226-Visión de España.
248-Tomás Rueda.
261-El escritor.
380-Capricho.
420-Los dos Luises y Otros ensayos.

BALLANTYNE, ROBERTO M.
259-La isla de coral.

BALMES, J.
71-El criterio.*

BALZAC, H. DE
77-Los pequeños burgueses.

BAROJA, PÍO
177-La leyenda de Jaun de Alzate.
206-Las inquietudes de Shanti Andía.*
230-Fantasías vascas.
256-El gran torbellino del mundo.*
288-Las veleidades de la fortuna.
320-Los amores tardíos.
331-El mundo es ansí.
346-Zalacaín el aventurero.
365-La casa de Aizgorri.
377-El mayorazgo de Labraz.
398-La feria de los discretos.*
445-Los últimos románticos.

BASHKIRTSEFF, MARÍA
165-Diario de mi vida.

BÉCQUER GUSTAVO A.
3-Rimas y leyendas.

BENAVENTE, J.
34-Los intereses creados y Señora ama.
84-La Malquerida y La noche del sábado.
94-Cartas de mujeres.
305-La fuerza bruta y Lo cursi.
387-Al fin mujer y La honradez de la cerradura.
450-La comida de las fieras y Al natural.

BERCEO, GONZALO DE
344-Vida de Sancto Domingo de Silos y Vida de Sancta Oria, virgen.

BERDIAEFF, N.
26-El cristianismo y el problema del comunismo.
61-El cristianismo y la lucha de clases.

BERGERAC, CYRANO DE
287-Viaje a la Luna e Historia cómica de los Estados e Imperios del Sol.*

BLASCO IBÁÑEZ, VICENTE
341-Sangre y arena.*
351-La barraca.
361-Arroz y tartana.*
390-Cuentos valencianos.
410-Cañas y barro.*

BOECIO, SEVERINO
394-La consolación de la filosofía.

BOUGAINVILLE, L. A. DE
349-Viaje alrededor del mundo.*

BUTLER, SAMUEL
285-Erewhon.*

BYRON, LORD
111-El Corsario, Lara, El sitio de Corinto y Maseppa.

CALDERÓN DE LA BARCA
39-El alcalde de Zalamea y La vida es sueño.
289-Casa con dos puertas mala es de guardar y El mágico prodigioso.
384-La devoción de la cruz y El gran teatro del mundo.

CAMBA, JULIO
22-Londres.
269-La ciudad automática.
295-Aventuras de una peseta.
343-La casa de Lúculo.
CAMPOAMOR
238-Doloras. Cantares. Los pequeños poemas.
CANCELA, ARTURO
423-Tres relatos porteños y Tres cuentos de la ciudad.
CANÉ, MIGUEL
255-Juvenilia y Otras páginas argentinas.
CAPDEVILA, ARTURO
97-Córdoba del recuerdo.
222-Las invasiones inglesas.
352-Primera antología de mis versos.*
CASTRO, ROSALÍA
243-Obra poética.
CERVANTES, M. DE
29-Novelas ejemplares.*
150-Don Quijote de la Mancha.*
CÉSAR, JULIO
121-Comentarios de la Guerra de las Galias.*
CICERÓN
339-Los oficios.
CLARÍN (Leopoldo Alas)
444-Adiós Cordera y otros cuentos.
COLOMA, P. LUIS
413-Pequeñeces.*
421-Jeromín.*
435-La reina mártir.*
CONDAMINE, CARLOS M. DE LA
268-Viaje a la América meridional.
CROCE, B.
41-Breviario de estética.
CRUZ, SOR JUANA INÉS DE LA
12-Obras escogidas.
CHEJOV, ANTÓN P.
245-El jardín de los cerezos.
279-La cerilla sueca.
348-Historia de mi vida.
418-Historia de una anguila.
CHESTERTON, GILBERT K.
20-Santo Tomás de Aquino.
125-La Esfera y la Cruz.*
170-Las paradojas de Mr. Pond.
CHMELEV, IVÁN
95-El camarero.
DANA, R. E.
429-Dos años al pie del mástil.
DARÍO, RUBÉN
19-Azul...
118-Cantos de vida y esperanza.
282-Poema del otoño.
404-Prosas profanas.
DEMAISON, ANDRÉ
262-El libro de los animales llamados salvajes.
DESCARTES
6-Discurso del método.
DÍAZ-PLAJA, GUILLERMO
297-Hacia un concepto de la literatura española.
DICKENS, C.
13-El grillo del hogar.
DIEGO, GERARDO
219-Primera antología.
DONOSO, ARMANDO
376-Algunos cuentos chilenos.
DOSTOYEVSKI, F.
167-Stepantchikovo.
267-El jugador.
322-Noches blancas y El diario Raskólnikov.
ESPINA, A.
174-Luis Candelas, el bandido de Madri
290-Ganivet. El hombre y la obra.
ESQUILO
224-La Orestíada. Prometeo encadenad
ESTÉBANEZ CALDERÓN, S.
188-Escenas andaluzas.
EURÍPIDES
432-Alcestes, Las bacantes y El Cíclop
FERNÁN, CABALLERO
56-La familia de Alvareda.
364-La Gaviota.*
FERNÁNDEZ FLÓREZ, W.
145-Las gafas del diablo.
225-La novela número 13.
263-Las siete columnas.
284-El secreto de Barba Azul.*
325-El hombre que compró un automóvil.
FERNÁNDEZ, MORENO
204-Antología 1915-1940.*
FRANKLIN, B.
171-El libro del hombre de bien.
GÁLVEZ, MANUEL
355-El gaucho de los Cerrillos.
433-El mal metafísico.
GALLEGOS, R.
168-Doña Bárbara.*
192-Cantaclaro.*
213-Canaima.*
244-Reinaldo Solar.*
307-Pobre negro.*
338-La trepadora.*
425-Sobre la misma tierra.
GANIVET, A.
126-Cartas finlandesas y Hombres del Norte.
139-Idearium español y El porvenir de España.
GARCÍA GÓMEZ, E.
162-Poemas arábigoandaluces.
GERARD, JULIO
367-El matador de leones.
GIL, MARTÍN
447-Una novena en la sierra.
GOETHE, J. W.
60-Las afinidades electivas.*
449-Las cuitas de Werther.
GOGOL
173-Tarás Bulba y Nochebuena.
GÓMEZ DE LA SERNA, R.
14-La mujer de ámbar.
143-Greguerías 1940-43.
308-Los muertos, las muertas y otras fantasmagorías.
427-Don Ramón María del Valle Inclán.
GÓNGORA, L. DE
75-Antología.